Jedes Kind kann schlafen lernen

ママも子どもも安眠できる!

赤ちゃんが すやすやネンネする 魔法の習慣

アネッテ・カスト・ツァーン
ハルトムート・モルゲンロート 著

古川まり 訳

PHP

Jedes Kind kann schlafen lernen
by Annette Kast-Zahn and Hartmut Morgenroth

OBERSTEBRINK
INTERNATIONAL

Published by arrangement with
Oberstebrink Verlag GmbH, D-40878 Ratingen
through Meike Marx, Yokohama, Japan

赤ちゃん・幼児がすやすや安眠するようになる！

「小さな赤ちゃんが家にいますか？　または、もうすぐ待望の赤ちゃんが生まれますか？」

それなら、きっと、はじめから寝つきがよくて、すやすやよく眠る赤ちゃんに育って欲しいと思っていらっしゃるでしょう。

この本のなかでは（第2章）、すやすや規則正しく安眠でき、夜泣きなどをしなくなるような「ネンネの習慣」が身につく方法をやさしく説明しています。

「お子さんはもう生後6カ月を過ぎていますか？　なのに、なかなか寝つかなかったり、夜中に何度も目を覚まして泣いたりしますか？」

子どもの寝つきがよくなり、一晩通して眠れるようになったら、家族みんなの生活が楽になると思われる人には、第2章で説明したやり方を実践することをおすすめします。

また第3章では、子どもの心を傷つけずに、半年を過ぎた子どもの睡眠の習慣を家族全員にとってラクなパターンに直すためのトレーニング法を公開しています。これは、九一ページから説明するタイムプランに従って行うものです。

この第2章と第3章でお教えする方法は、数日以内に効果があらわれ、誰でも簡単に実践できる、とても具体的なものです。

子どもの睡眠に不安があり、しっかりした知識を得てから自分なりの判断をしたい、と思われる方は、まず第4章以降からお読みになることをおすすめします。子どもの睡眠に関してどんなことがわかっているのか、あるいは睡眠障害や睡眠パターンなどについて、知っておくと便利な科学的な情報をできるだけわかりやすく説明しています。

子どもの睡眠について何か不安なことがある方は、これらの章をご参照ください。

赤ちゃんがすやすやネンネする魔法の習慣　目次

はじめに

第3章 寝つきの悪い子・夜泣きする子への対処法

第4章 子どもの睡眠——こんなことがわかっている

第5章 親を心配させる睡眠障害

第6章 親が心配する、そのほかの問題例

第7章　子どもの「眠り」についてのQ＆A

装　　幀――吉崎広明
装幀写真――末吉陽一（スパイラル）
装幀オブジェ――図工舎ＹＵＫＩ
編集協力――編集工房Ｑ

第1章

赤ちゃんが眠ってくれない！

この章のポイント

- 寝つきが悪かったり、夜泣きする子は、実は学習が得意な子である
- ちょっとした工夫で一晩通して安眠させる方法があった

私も、眠ってくれない子には苦労しました

親になった人なら誰でも、子どもの睡眠には苦労させられるということを知っています。子どもが生まれてから最初の数カ月を「楽しい」と感じるか、毎日がストレスと疲労ばかりで「苦しい」と感じるかは、子どもが安眠してくれるかどうかに深くかかわっていることが多いものです。

だからこそ小児科医は、子どもの睡眠で悩んでいる人の話をよく聞かされます。子どもの成長を自慢し、いろいろな進歩について幸せそうに報告した後で、

「もう少しよく寝てくれるといいのですが」

とか、

「夜中に何度も起こされないようになるといいのですが」

とため息をつく人に、毎日何度も出会います。

この本の共著者であるモルゲンロート博士は以前、小児科医としてこの問題に関して、少しも役に立つアドバイスができないことを気に病んでいました。

とくに困ったのは、双子のペーターちゃんとアニカちゃんのケースです。

その家族は、家が狭かったので、はじめから家族全員がひとつの部屋で寝ていました。ところが、ペーターちゃんとアニカちゃんは一～二時間おきにミルクを欲しがって泣くのです。両親は、毎晩毎晩一七本の哺乳びんを用意して、二本ずつが常に保温器に入っているように工夫をしていました。そして交代でミルクを飲ませていたのですが、しだいにふたりとも疲労困ぱいし、精神的にも追いつめられて、とにかく夜泣きが止まるのを切に願うようになっていました。

でも、なかなか事態は好転しませんでした。小児科医としての本来の信念に反して、一時的に子どもに精神安定剤を処方したこともありましたが、だめでした。

大きな家に引っ越して、子どもたちをそれぞれ別の部屋に寝かすことができるようになっても、だめでした。二歳半になって初めて、子どもたちはやっと用意された哺乳びんを自分の手にもって飲み干せるようになりました。それでも、両親が夜中に起こされる回数は三～四回もあったのです。

結局、このふたりが一晩通して眠れるようになったのは、四歳を過ぎてみんなで休暇旅行に出かけてからのことでした。四年がかりでやっと哺乳びんを卒業し、夜も通して眠るようになったのです。

経験を積んだ今ならこの両親も、慢性の疲労や睡眠不足などのすべての問題を避けることができるのだということがわかります。

夜の寝つきが悪かったり、夜中に何度も目を覚ます子どもは、決して問題を抱えた「難しい子ども」ではないのです。

むしろその逆です。

これらの子どもは、実は学習が得意な子どもなのです。これらの子どもの行動はまったく普通で、しかも理にかなったことなのです。

眠らない子どもをもった親が「自分の子どもはおかしい」と思う必要は決してありません。わたしたちは数多くの相談で、子どものためなら何でもやりたいという、一所懸命で愛情豊かな親に大勢出会います。

実は、どんな赤ちゃんでも生まれて六カ月を過ぎているなら、一晩通して、すやすや眠ることができるのです。月齢六カ月を過ぎてもまだ一晩通して眠らない子どもは、これから眠ることを学習させればいいのです。

この本に紹介した方法を実践すれば、あなたの赤ちゃんもおどろくほど簡単に、そして短い期間のうちに眠ることができるようになるはずです。

「眠らない」わが子の経験をきっかけに

私の子どもは長男も長女もかなり手がかかり、彼らが生まれてから最初の五年間は、毎夜のように夜中に起こされました。そして上のふたりがやっと夜中にわたしを呼ばずに眠ってくれるようになったころ、次女のアンドレアが生まれました。三人めでしたので、わたしは「これだけ経験があるのだから大丈夫」と安心しきっていました。

最初の数週間はなかなか順調。ところが、アンドレアは大きくなるにつれ、夜中におっぱいを欲しがる回数が増えていったのです。ベビーベッドで眠ることもいやがりだし、いつの間にかわたしたちのダブルベッドで眠るクセがついていました。

夫は、充分な睡眠をとるために、いつの間にか屋根裏部屋で寝るようになっていました。

月齢七カ月めに入るとアンドレアは夜中に七回授乳、朝の四時ごろからは熟睡せずにむずかりはじめ、おっぱいにくっつきっぱなしになりました。十五分から三十分おきに目を覚ましては、泣いておっぱいを欲しがります。

日中もベッドではほとんど熟睡せず、眠るのは自動車かベビーカーの中だけです。睡眠は不定期で、しかも長くてもせいぜい三十分間。一日中の睡眠時間は九時間以下でした。

そんな子どもの睡眠の習慣につきあっているわたしの睡眠時間はもっと少なく、まとまって眠れるのは長くて二時間程度。ふだんは三十分間といったところでした。

なんとか眠らせようとがんばってみましたが、母親としての経験も、心理学者としての専門知識も、何の役にも立ちませんでした。育児書を見ても、何も書いてありません。せいぜい「両親は夜中に子守りを交代するとよいだろう」といったアドバイスが載っているだけ。あるいは「たいていの子どもは月齢三カ月ごろになると一晩通して眠るようになる」とか。

でも、眠らない子がなぜ眠らないのか、どこにも書いてありません。

どうすればいいの?

途方に暮れているわたしに、役に立つアドバイスをしてくれる人はひとりもいません。わたしはひとりで、毎日必死になんとか一日を乗りきるように努力するしかなかったのでした。

そんなときにかぎって、六歳の長男の入学式と四歳の長女の幼稚園入園が重なり、上の子もとくに親の愛情を必要としていました。でも、ふたりに充分にかまってあげられるだけの余力がわたしにはありませんでした。夫婦関係に打ち込む余力もなく、一家にとってはとてもつらい時期でした。

こんなに精いっぱい子どもをかわいがって育てているのに、「眠らない赤ちゃん」が生まれたことは、なんだかとても不公平な宿命のように思えたものです。

そんなとき、次女の七カ月検診があって、かかりつけの小児科医のモルゲンロート博士に、とくにアドバイスを期待したわけではなく、何げなく悩みをお話したのでした。

長男と長女のときは博士にも名案はなく、「大変ですね」くらいのことしかいっていただけなかったのですが、今回相談したときはちょっと反応が違いました。「その状況を変えてみたいと思いますか?」と聞かれたのです。たまたま学会で米国ボストンの児童睡眠センターを訪問し、所長のリチャード・ファーバー教授と懇談したところだったというのです。

ファーバー教授は一九八〇年代半ばに、乳児や幼児を短時間で寝つかせ、夜も通して眠れるようにする方法を開発し、以来実践している先生です。モルゲンロート博士から米国の研究資料を手渡されたわたしは、読んでいるうちに、**自分の子どもが眠らない理由が、「目からうろこが落ちる」思いで理解できた**のです。

なぜ、自分の子どもが眠らないのか、これからはどうすればよいのかがわかったのです。

すべてがとても簡単で当たり前のことのように思え、「なぜ、もっと早く気づかなかったのだろう」と思いました。

以来、わたしとモルゲンロート博士は協力態勢を組むことになりました。

最初の「患者」は、わたしの次女アンドレアでした。

アンドレアは、二週間もしないうちに日中は一時間半の昼寝を二回するようになり、夜の八時から朝の七時まで、夜中も通してベビーベッドで安眠できるようになりました。それまでに比べ、一日の睡眠時間がなんと三時間も増えたのです。家族全員がほっとしました。母親のわたしは、自分の生活の質が飛躍的に改善したと実感しました。ちょっとした工夫で、こんなにすばらしい成果がもたらされたのです。

こうなったら、結論はひとつしかありません。

このやり方を、子どもの睡眠に関してこれだけは知っておきたい科学知識とともに、できるだけ多くの母親と父親に知らせせなくては!!

「子どもの夜泣き」は、小児科でもとてもよく相談される悩みのひとつです。

ここ数年間、わたしたちは何百人ものお父さんやお母さんの相談を受けました。そして、圧倒的な成果を挙げることができました。

睡眠に関するほとんどの問題は、一回の相談で、数日以内に解決できるものです。

このテーマに関して講演会を開くと、多くの人が関心を示してくださいます。多くの若い親が子どもの睡眠に関する悩みを抱えているということは、ゆるぎのない事実なのです。

子どもの睡眠の悩みは、放っておいても解決しない

本書で子どもの「睡眠障害」といっているのは、次のようなことです。

・寝つきが悪い
・夜中に何度も目を覚ます
・夜間の睡眠が足りないため、日中は機嫌が悪くむずかる

こうなると、大変なのは親です。

睡眠は何度も中断され、いったん起こされれば再び眠れないことも多いのに、日中に昼寝をして不足分を補うこともできません。

そこで、わたしたちはまず子どもの睡眠について、その実態を把握することにしました。どれくらいの年齢になると一晩通して眠れるようになるのか。それが各年齢にどれくらいの割合なのか。またそれぞれの親は子どもの睡眠パターンにどの程度ストレスを感じているのか。

まず、定期検診のために小児科の診療所を訪れた五〇〇組の親子を対象にアンケートをとりました。もちろん、このアンケートの結果は絶対的なものではありません。でも、ほかの調査によっても裏づけられているひとつの傾向を把握することはできました。

図表1を見てください。一晩通して眠れる子どもは、全体の半分以下でした。年齢別では、一番多いのが一歳の子ども（五三%）、一番少ないのが生後六週間以下の赤ちゃん（六%）です。

たいていの親は、一晩に一度起こされるだけなら、あまり苦にしていませんでした。問題は

一晩に何度も起こされるケースです。

図表2を見てください。生後四～六週間の赤ちゃんのうち、約半数が夜中に二回以上目を覚ましています。三～四カ月の赤ちゃんでは三分の一程度が夜中に二回以上目を覚まし、二歳児でもその割合は約四分の一です。夜中に親を二回以上起こす子どもの割合が減るのは、四歳を過ぎてからでした。

また、数々の相談を受けているうちに、睡眠の悩みは放置していてはなかなか解決しないことを実感しました。生後六カ月を過ぎた赤ちゃんが夜中に何度も目を覚ますようなら、同じ子どもが一年後にも夜中に親を起こす可能性は非常に高いのです。

また、子どもが数週間あるいは数カ月にわたって一晩通して眠っていたのに、病気や旅行をしたら突然夜中に親を起こすクセがついたというのもよくあるケースです。

夜眠らせてもらえない親がストレスを感じることを不思議に思う人はいないでしょう。

とくに、夜中に二回以上起こされる母親は、疲労とストレスに苦しんでいました。

自分は心理的に落ち着いて安定していると思っている母親の比率は、「寝るのが下手な子ども」の親のあいだでは非常に低かったのに対し、**「上手に眠る子ども」の母親のグループでは、ストレスや疲労感に悩まされている人が非常に少ない**のです。

また親が一番ストレスを感じないのは、子どもが月齢四カ月のころであるということもわか

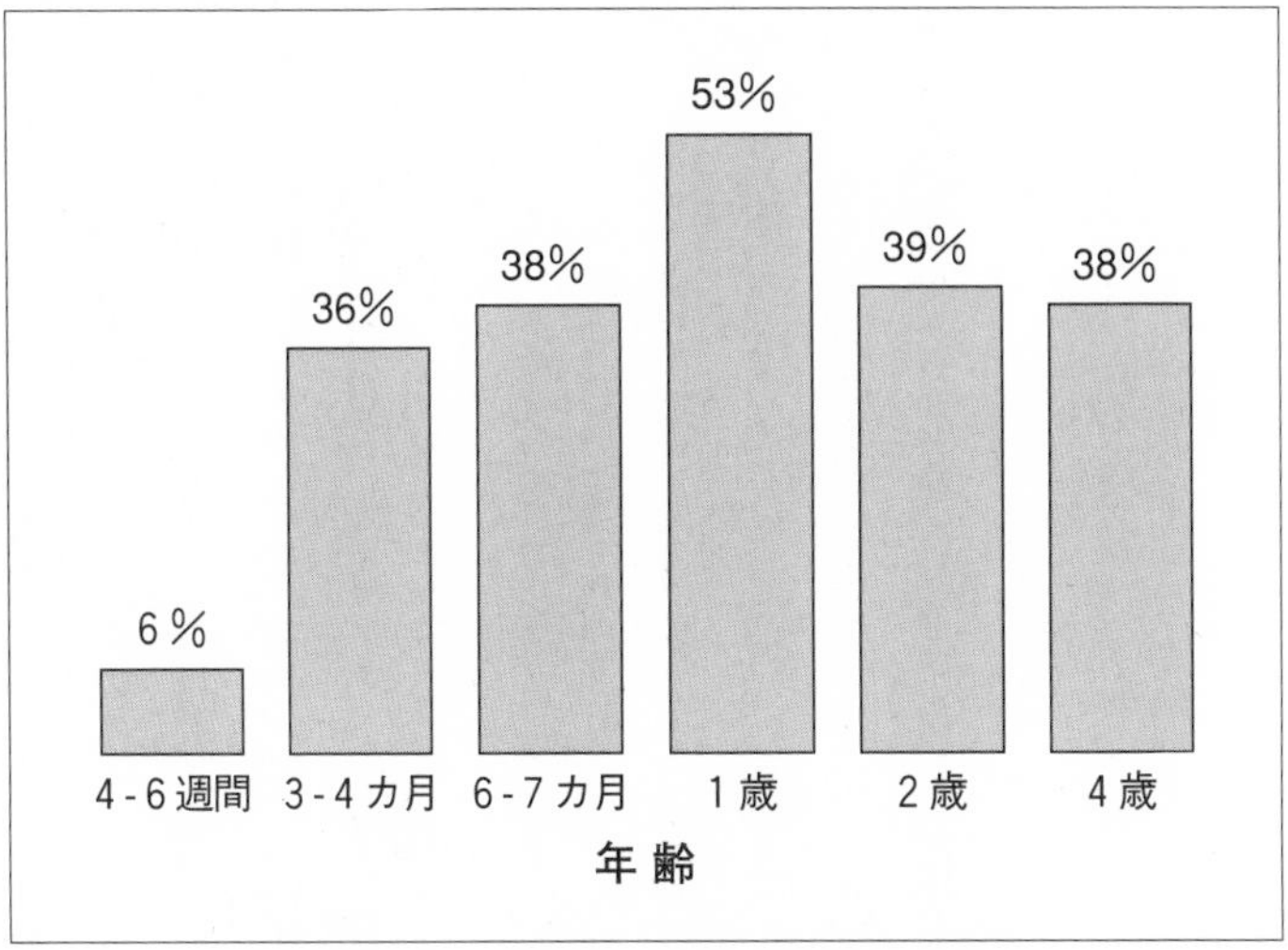

図表１　一晩通して眠る子どもの比率

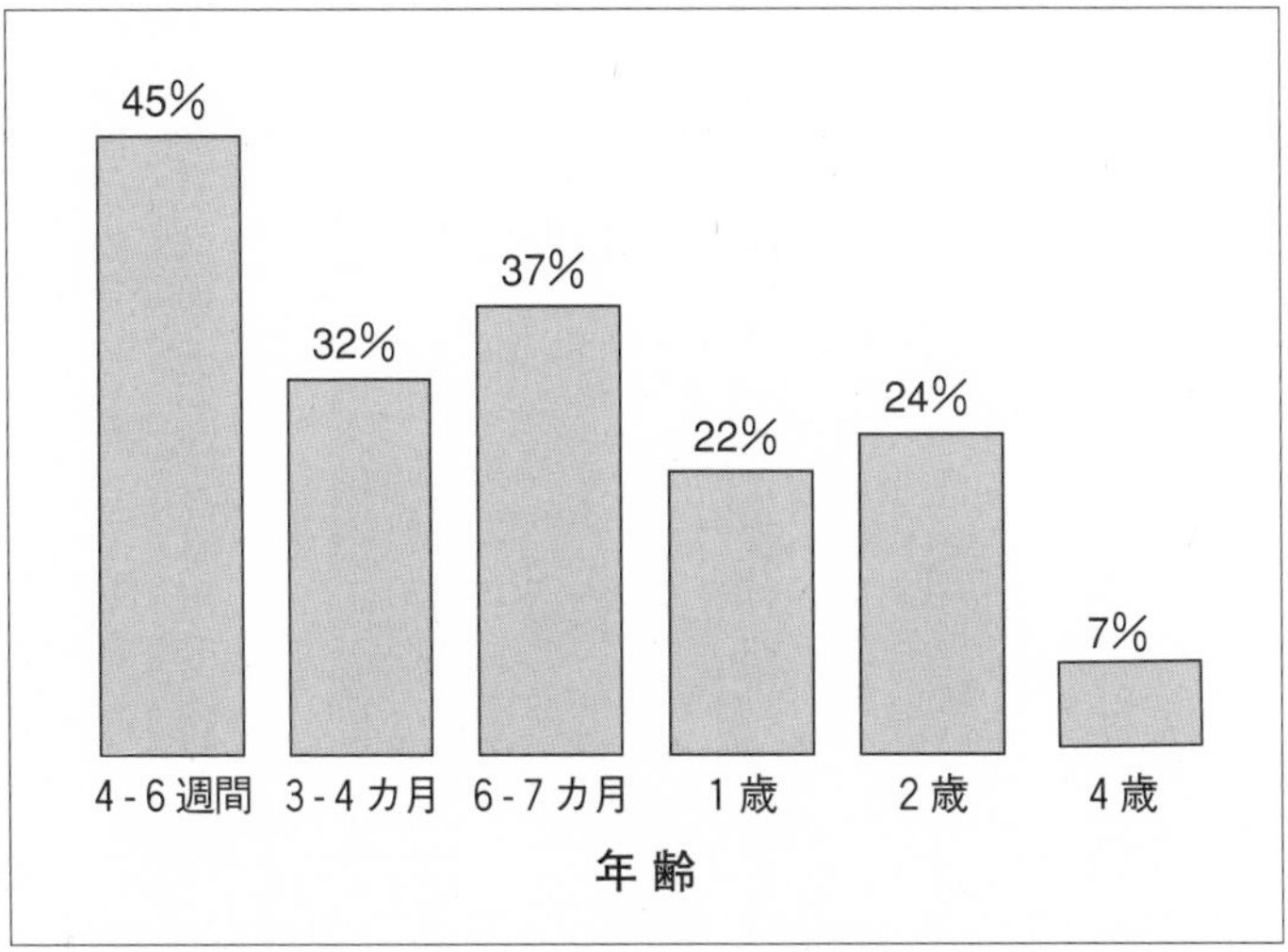

図表２　夜中に２回以上目を覚まして親を呼ぶ子どもの比率

りました。

周囲とのかかわりに積極的になり、仰向けにネンネしたままにこにこしたり、声をたてて笑ったり、物音や声に耳を傾けはじめた赤ちゃんほどかわいいものはありません。三カ月ごろまでに多く見られる「かんの虫」もおさまり、泣くことも少なくなっています。また、動きまわっていたずらをすることもありません。そして、一日に十五時間ほど眠ってくれます。仮にこれほど眠ってくれなくても、このすばらしい年齢の子どもなら、親もすべてを許してしまうのです。

子どもに愛を注いで、人生のしばらくのあいだ、全身全霊で育児に打ち込むことは、とてもすばらしい喜びに満ちた体験です。わたしたちの経験では、大半のお母さんやお父さんは「献身的に子育てをしたい」と思っています。でも、いつの日にか親自身が自分の生活を取り戻さなくてはならない時機が到来するのです。母親のためだけでなく、赤ちゃんにとっても、ほかの家族のメンバーにとっても、これは大切なことです。

まとめ

●赤ちゃんや幼児の睡眠の問題で多くの人が悩んでいる

「うちの子はあまり眠ってくれません、どうしたらよいのでしょう」と多くの若い親が悩んでいます。

●子どもが「眠り下手」な親はストレスを感じている

眠り上手な赤ちゃんの母親は精神的に安定していることが多いのに対して、「眠り下手」な赤ちゃんの母親は慢性疲労とストレスに悩んでいることが多い。

●「眠り下手」な子どもは、決して「問題児」ではない

子どもは学習が得意です。生まれて六カ月を過ぎた健康な赤ちゃんなら、学習によって一晩通して眠れるようになるのです。まだ一晩通して眠れない子どもでも、あっという間に眠ることを覚えます。

第2章

「眠り上手」の、すやすや赤ちゃんにするには

この章のポイント

●どうすると赤ちゃんは眠り上手になれるのか
●子どものために規則的な生活と、安心できる就寝の環境を整えるには、いつごろからどのようにすればよいか
●添い寝についてのわたしたちの見解

赤ちゃん期から「ラクな睡眠パターン」を習慣づける

みなさんも、「ラクな子ども」に恵まれたお母さんの自慢話を耳にしたことがあるでしょう。はじめからとてもよく眠り、おっぱいのたびに起こさなくてはならず、生まれて数週間もしないうちに、一晩通して眠ってくれる子どもの話を。

生まれたときから「よく眠ってくれる子ども」というのは、本当にいるものです。いつもご機嫌で、どこへ連れていっても泣かず、どんなことがあってもよく眠る子ども。環境が変わっても、まわりが騒がしくても、まわりでどんなことが起きていても、ぐっすりと眠っているようなそんな子ども。

本当にいるのです。

でも、いつも目がぱっちりして頭が冴えている元気な子どもをもった親は、そんな子どもが世の中にいるなんて信じられないかもしれません。

なにしろ、少しでも変わったことがあると頭が冴えてしまい、それからは絶対に眠れなくなってしまう子どももいるのです。生まれたその日から夜中もずっと目を覚ましていて、いつも身体を動かして、どんなに小さな音や環境の変化であっても、たとえば来客であっても、何もかもが「眠れない」きっかけになってしまうそんな子ども。

子どもの睡眠にはこのように大きな違いがありますが、その原因は教育とはあまり関係ありません。それぞれが授かった個人差の部分が大きいでしょう。

いつもぐっすりと眠ってくれる親孝行な赤ちゃんに恵まれた親は、とても幸運です。だからといって、眠らない子どもをもった親が悲嘆にくれる必要はありません。

そんな子どもでも、夜になったら「きちんとした」時間に眠り、朝まで泣くことなく、ベビーベッドでネンネできるようになるのです。途中で少しのあいだ目を覚ますことがあっても、それは普通のことです。そして、そんなときに親を呼ばずに再び眠りにつくことは、どんな子どもでも覚えられます。

あなたの赤ちゃんがまだとても小さいか、これから生まれるのであれば、家族みんなにとってラクな睡眠パターンを習慣づけることができます。

あなたの赤ちゃんが少し大きくなっているのなら、これまでと違ったやり方に慣れてもらわなくてはなりません。習慣を変えてもらうわけですから、赤ちゃんはひとまずいやがるでしょう。

赤ちゃんの望みを叶えながらも、お父さんやお母さんにとって便利な習慣を身につけてもらうにはどうすればよいかは、次の章で説明します。

本章では、いつ、どこで、どのようにしたら、あなたの赤ちゃんがよく眠れるようになるのかを説明しましょう。当たり前のことですが、予防は治療に勝るということをお忘れなく。

赤ちゃんはどこで寝るべきか——赤ちゃんの寝場所について

初めて子どもをもった人は、とくに生まれてから最初の数週間はとても気が張るものです。多くの人はそれまでの自分の人生を大きく変えたわが子に対する愛情で胸がいっぱいになっています。赤ちゃんから目が離せず、片時もそばを離れたくないと思う人も多いものです。

でも、新米のお父さんやお母さんのなかには、赤ちゃんが泣いてばかりなので疲れきってしまい、手に負えないと無力感をおぼえる人もあるでしょう。

赤ちゃんとの初めての共同生活をどう感じるかというのは、個人差の大きい問題です。ですから最初の数週間については、赤ちゃんをどこに寝かすべきかという問題に決まりきった回答はありません。

親子が一番安心できる場所を選ぶというのが、一番有意義なやり方でしょう。新生児は夜中でもミルクが必要ですし、ミルクを飲みながら眠ってしまうこともありますから、多くのお母さんは添《そ》い寝を選択するでしょう。最初の数週間は、添い寝をしてもまったくかまいません。

また、あなたが赤ちゃんをいつも専用のゆりかごやベビーベッドに入れて寝かせたいと思っているとしても、まったく問題ありません。場所は親の寝室だろうと、子ども部屋だろうとかまいません。

大切なのは、異変があったらすぐに気がつくように、赤ちゃんのいる部屋は閉めきらないということ。ベビーフォンを利用して常にフォローできるようにしてもよいでしょう。

赤ちゃんが自分のそばにいるのが一番安心なら、赤ちゃんをそばに連れてきましょう。でも、夜中に赤ちゃんをベッドで押しつぶしてしまいそうでこわい、あるいは、赤ちゃんのため息ひとつでも心配になって目が冴えてしまうのであれば、別々の部屋で眠るほうがよいでしょう。こういうタイプの人は赤ちゃんがゆりかごで寝ていても別の部屋で寝たほうが気がやすまると思います。

別の部屋に寝かせたからといって、あなたが罪の意識にさいなまれる必要はありません。もちろん赤ちゃんはあなたの愛情とスキンシップ、そしてぬくもりを必要としています。でもこれらのものは、赤ちゃんが目を覚ましているときでも充分に与えられるものです。赤ちゃんへの愛情表現は、あなたが一番と思うやり方を選べばよいのです。

昼夜の区別をつけて、親子の安眠を確保する

新生児には昼夜の区別がありません。

おなかが空くと目が覚め、おなかがいっぱいになると眠ります。

子どもによってはしょっちゅうおなかを空かせ、二時間おきに目を覚ますこともあります。

また、最初の四～六カ月は体内時計が未熟です。体内時計とは、たとえば夜中になると体温を下げ、身体全体の機能を「睡眠モード」に切り替えるタイマーです。

人間の体内時計は、実は一日二十四時間というリズムと一致しないことがわかっています。身体は一日二十五時間のリズムでセットされているので、規則的な食事、起床、就寝時間を心がけなければ、しだいにリズムがずれてきます。なぜか人間の身体のリズムには、常に一時間の「予備」があるのです。

小さな子どものときであっても、たとえば夏休みなどに、毎日夜ふかししていると、休みが終わるころには朝寝坊するようになっていたという体験が、誰にでもあると思います。ここで重要なのは、この観察から得られる結論です。

それは「どんなに小さな赤ちゃんでも、体内時計を一日二十四時間のリズムに合わせて規則的に働くようにするためには、ある程度、生活を規則正しくしなければならない」ということ。

生まれて間もない赤ちゃんでも、夜と昼の違いを覚えられるよう、あなたにできることがあります。それは次のような簡単なことです。

一、夜中のオムツの取り替えは、本当に濡れているときだけにする。
二、夜中の部屋は必要以上には明るくせず、授乳の後にはすぐにベッドに戻す。
三、遊びの時間は日中だけにする。

日中はオムツを取り替えた後も遊んだり、だっこしたりして一緒に楽しむことができます。おなかがいっぱいで満足しているときに、ゆりかごを揺すられたり、だっこされたり、ベビーカーに乗せられたりすると、たいていの赤ちゃんはとても喜びます。赤ちゃんが目を覚まし、元気なときには、とくに一所懸命赤ちゃんにかまってあげましょう。

また、夜中の授乳後は、赤ちゃんがすぐに寝たがらなくても、ベッドに戻します。むずかる程度なら、しばらく様子を見ているだけで大丈夫です。大きな声で泣きはじめ、自分では落ち着きが取り戻せないような興奮状態になったら、なぐさめてあげます。やさしくなでてあげたり、ゆりかごを揺らしたり、歌を歌ったり、だっこをして行ったり来たりしてあげましょう。

でも、すでにおなかがいっぱいになっている赤ちゃんに繰り返しおっぱいをあげたり、哺乳びんをしゃぶらせたりするのはよいことではありません。おっぱいや哺乳びんでなぐさめるのは、こわい夢を見たりした特別なときだけにします。

そうしないと、しだいに授乳の間隔をあけようと思ったときにトラブルが起きます。おなかはいっぱいでも、日中だろうと夜中だろうと一時間おきにあなたのおっぱいをしゃぶらないと眠らないというクセをつけてしまったら、あなたが困るだけです。

おっぱいではなく、ほかのやり方で落ち着かせるように習慣づけていれば、おっぱいなしで眠ることを覚え、本当におなかが空いたときにだけ、目を覚ましてあなたを呼ぶようになります。

軽い体重で生まれた新生児やお母さんのおっぱいの出が悪い場合を除いて、日中でも一時間おきに授乳する必要はありません。

赤ちゃんが健康で、体重も充分に増えているようなら、生後四週間ほどで授乳のあいだを三時間程度あけるようにしましょう。夜中の授乳間隔はもっと長くてもかまいません。

日中は授乳時間を赤ちゃんに任せている人でも、一日の最後の授乳の時間を次のように決めておきましょう。

理想はあなたが就寝する直前の夜十時から十二時のあいだです。

毎日、あなたはこの決まった時間に赤ちゃんを起こし、おっぱいをあげるか哺乳びんでミルクをあげます。それまでどれだけ眠っていようと、いつごろどれだけミルクを飲んでいようと、まったくかまいません。この最後の夜の食事のときに、充分にミルクを飲ませるよう心がけます。途中で赤ちゃんが眠りそうになったら、オムツを替えるなどして起こします。

一日最後の授乳を決まった時間にすると、赤ちゃんの体内時計は、しだいに昼夜の区別がつけられるようになります。数日もすれば、この時間には必ずおなかが空いてミルクをたくさん飲むようになっているでしょう。

たいていの赤ちゃんは、この最後の食事の後、次におなかが空いて目を覚ますまでの間隔が自然に延びていくものです。

でも、赤ちゃんが自分でこの体内時計の調節がうまくできない場合には、あなたが助けてあげます。生後五〜七週間を過ぎた赤ちゃんで体重が五キロを超えていれば、次のような方法でトレーニングします。

生後五〜七週間以上の赤ちゃんのネンネトレーニング

●赤ちゃんは、目を覚ましているうちにベビーベッドに寝かせるようにします。ひとりで眠りにつくことを覚えさせるのです。このとき日常的な雑音は遮断しないこと。赤ちゃんはまわりが静まり返っていなくても眠れるものです。

●昼寝が長くなりすぎたら、迷わず起こしましょう。また、就寝前にしばらくのあいだ目を覚ましていたほうがよいので、夕方になったら眠らないように遊んであげます。

●夜十時以降の授乳後に赤ちゃんを起こすのはやめましょう。ベッドに戻したときに泣きはじめても、すぐに反応せずにまず様子を見ること。ひとりで落ち着きが取り戻せるかどうか、ちょっとだけ待ってみます。

●一日の最後の授乳時間と翌朝最初の授乳時間の間隔をしだいに延ばしていきます。生後五~七週間を過ぎれば、赤ちゃんの身体は夜中に五~六時間程度何も食べなくても大丈夫になっているはずです。

トレーニングの成果が出るまで三~四日かかることがあります。次に、トレーニングの効果を高めるヒントをいくつかご紹介しましょう。

ネンネトレーニングの効果を上げるヒント

❶トレーニング中は、母親ではなく父親が「宿直」を引き受けるのも一案です。おっぱいがそばにあるのに飲ませてもらえないと、たいていの赤ちゃんは怒りますから。

❷夜中に赤ちゃんが目を覚ましても、すぐに授乳せずに少なくとも一時間は待ってくれるよう、いろいろ試してみてください。どんな方法でもかまいません。なでてあげたり、やさしく声をかけたり、おしゃぶりをあげたり、だっこしたり、オムツを替えたり、テレビを見せたってかまいません。こうやって待たせているあいだに、赤ちゃんがおっぱ

いを飲まずに眠りはじめたら、「やった、万歳！」と喜びましょう。

どうしてもだめなら、まずお茶や湯冷ましを飲ませてみます。それでもだめで一時間ほどしてもまだ泣いていたら、いよいよお母さんのおっぱいかミルクを出します。こうして、夜中の授乳は毎日少しずつ我慢させる時間を長くしていくこと。しだいに赤ちゃんは夜寝る前にたくさんミルクを飲むようになり、夜中に飲む量が減っていくでしょう。

❸夜中にだっこして歩きまわったり、お茶や湯冷ましを飲ませたりするのは、赤ちゃんが夜中にミルクがいらなくなるまでの一時的な手段であるべきです。習慣にしてはいけません。赤ちゃんが夜中の十一時から朝の五時から六時まで眠れるようになることは、あなたにとっても赤ちゃんにとっても、よいことです。

❹四晩、がんばってもリズムが少しも変わらない場合には、早朝一番の授乳の時間を遅らせる試みはあっさり中止します。あなたの赤ちゃんはまだ小さすぎるのです。四週間ほどたってから、もう一度挑戦してみましょう。

第一のヒントは、どんな小さな赤ちゃんにもあてはまります。二つめと三つめのヒントについては、月齢六カ月以下の乳児の場合、生理的にどの程度成熟しているかがとても重要なポイントです。月齢六カ月以下では、規則的な時間のパターンに適応できない子どももよくいます。

これらのやり方に先立って、赤ちゃんが月齢三〜四カ月になったら日中の授乳時間をしだいに規則化して、夜ベッドに入れる時間を一定にします。

育児書によっては、赤ちゃんの好きなように授乳し、睡眠時間も完全に赤ちゃんに任せるほうがうまくいくと書いてあることがあります。もちろん、これらの説にも一理あります。あなたの赤ちゃんがいわゆる「ラク」な赤ちゃんなら、あなたが何もしなくても、自然にうまくいくでしょう。でも、すべての赤ちゃんがそんなに「ラク」ではないことは、次のファビアンくんの例を見てもわかります。

ファビアンくんは生後十カ月でしたが、相談にきた両親はすでに疲労の限界に達していました。ファビアンくんは、夜はほとんど眠りません。泣いていないときは、お母さんがベッドでだっこしながら身体を揺らしています。泣いているときは、だっこをして部屋の中を歩きまわります。そうすると、短時間だけうつらうつらと眠ります。

でも朝の四時から六時のあいだには、目を覚まします。ミルクを飲み、オムツを替えてもらい、お風呂に入れてもらいます。ファビアンくんはお風呂が大好きです。お風呂の後には五時間続けて眠ります。つまり朝の八時からお昼の一時まで眠るのです。さらに、午後にももう一度三時間まとめて眠っていました。でも、夜中になると眠らないのです。

このような昼夜逆転型の睡眠パターンで両親は困ってしまいました。

そこでまず、両親はベビーベッドを子ども部屋に移すことにしました。ファビアンくんは、お母さんにだっこされながらソファの上で眠るのではなく、自分のベッドで眠ることになりました。もうひとつ、習慣を変えることになりました。ファビアンくんはお風呂に入るとリラックスし、その後熟睡するので、午前中の入浴はやめて、夕方にお風呂に入れることにしました。

そして、ファビアンくんのお母さんは、それまでこわくてできなかったことをすることにしました。眠っているファビアンくんを起こし、昼夜のリズムを直すことにしたのです。日中のネンネは二時間したら必ず起こすことにしました。そして、夜の十時と決めた最後の授乳の前は、少なくとも三時間は目を覚ましているように、この時間帯にゆっくりとお風呂に入り、オムツを替えることにしたのです。

みんなのびっくりしたことに、ファビアンくんはトレーニング初日に夜の十時から朝六時までのあいだ、途中で目を覚ますことなく眠りました。朝六時に授乳した後、もう一度眠り、八時まで眠りつづけました。そしてわずか数日で、そのリズムが安定しました。もちろん、ファビアンくんは前と変わらずよく泣く子どもではありますが、夜きちんと眠ってくれるようになっただけで、家族の生活の質ははっきりと向上しました。

お風呂に入ったり、水遊びをしたからといって、どんな赤ちゃんでも眠くなるとはかぎりません。

赤ちゃんによっては、目が冴えてもっと元気になってしまうこともあるでしょう。でも、あなたの赤ちゃんがお風呂の後でよく眠るような子どもなら、お風呂を「おやすみなさいの儀式」の一部に組み込むのも一案でしょう。

寝る前の一時間、どんなことでもかまわないので、いつも同じ手順を繰り返していると、どんな赤ちゃんも心の準備ができて眠りにつきやすくなります。就寝前の数分間は、あなたも赤ちゃんもその時間が楽しめるような工夫をしてください。お風呂だけではありません。だっこをしたり、遊んだり、歌ったり、ハンモックでだっこしながら揺らしたりすることは、すべて「おやすみなさいの儀式」の一部として活用することができます。

あまり適切でないのがお母さんのおっぱいをしゃぶらせる、あるいは哺乳びんを与えるというやり方です。寝る前の三十分は、これらの習慣はやめたほうがいいでしょう。赤ちゃんがあなたの手助けなしで寝つけるようになっていれば、赤ちゃんは夜もきちんと通して眠れるようになるのです。できるだけひとりで、自分のベッドでネンネさせるようにしましょう。

よく泣く赤ちゃんに悩んでいるあなたへ

生後三カ月以下の赤ちゃんの場合、一日に一時間以下しか泣かない赤ちゃんもいれば、一日に四時間以上泣く子もいるということはご存知でしたか?

泣くことはどんな赤ちゃんにとっても普通の行為ですし、どんな親でもそのことはわかっています。でも赤ちゃんの泣き声は、どんな親をも「この泣き声を止めなくてはならない」という本能的な思いに駆り立てます。

授乳をして、ちょっとだっこしただけで、満足して泣きやんでくれるような赤ちゃんの親は、本当にラクです。大変なのは、「泣きやまない子ども」をもってしまった親です。

泣いている子がちっとも泣きやんでくれないことほど、フラストレーションのたまることはありません。授乳して、おむつを替えて、だっこをして、ベビーカーを揺らしてみても、赤ちゃんが泣きやまないとき。ベビーカーを押して散歩をしていても、すやすやと寝ている赤ちゃんなら誰もがほほえましく思ってほめてくれますが、甲高い声で泣いている子どもには、誰も寄ってきません。それどころか、「どうかしたの?」などと聞かれてしまいます。「泣きっぱなしにさせちゃだめよ」などというおせっかいな人もいるでしょう。

家の中でも似たようなものです。お父さんだって、おばあちゃんだって、泣いてばかりいる赤ちゃんのお母さんには批判的なこともいいたくなります。

「また泣きはじめたぞ、何か変なものでも食べておっぱいをあげたんじゃないか」などといわれてしまうこともあるでしょう。そんなことをいわれたら、お母さんは自信をなくしてしまうでしょう。「自分には泣くのをやめさせられない」と思うお母さんは、赤ちゃんが泣きはじめると、胃が縮む思いをするでしょう。落ち着かせようとする気持ちにあせりが出てきて、過剰な対応や拙速《せっそく》な行動に出てしまいがちになります。そうなると、赤ちゃん本人に自分で落ち着きを取り戻す能力があるという事実を見落としがちになります。

著者のわたしたちも実は当事者でした。わたしたちはふたりとも、泣いているわが子を落ち着かせようと必死になった体験をもっています。

モルゲンロート博士は長男のクラウスくんをだっこして、行ったり来たり、家の中をエッサエッサと小走りで走ったりしていました。わたしは末娘におっぱいをあげながら、家の中を何時間も歩きまわり、背中がボリボリに凝ってしまっていました。振り返ってみると、子どもがあんなに泣いてはいましたが、わたしたちは別に悪い親ではありませんでした。でも、もしかしたら当時はよかれと思って、いろいろなことをやりすぎていたのかもしれません。

新生児の泣く時間に長短の個人差があるのは、生まれながらの資質に原因があります。しかし生まれてから数カ月までの性格によって、赤ちゃんがどのようなおとなになるか判断することはできません。

泣いてばかりいる赤ちゃんが、しばらくするといつもにこにこ笑っている、とても円満な明るい子どもになることはよくあります。逆に生まれたときはいつも円満で穏やかだった子が、幼児期に入ってから大変なだだっ子になることもあります。

よく泣く赤ちゃんに悩んでいるあなたは、知識として次のことを知っていれば、少しは気がラクになると思います。

知っておきたいネンネの豆知識

●数時間にもわたって泣きつづける場合は胃腸に問題があるという説がありますが、実はそれはまれなケースであるということが最近の学問的な研究でわかりました。

おっぱいで育てている場合、母親の食べものが悪いと赤ちゃんのおなかにガスがたまるというのも、裏づけのない通説のようです。よく泣く赤ちゃんのおなかに確認されるガスは、泣いたときに空気を飲みこむことによっておなかにたまるようなのです。

●赤ちゃんは、外部の刺激や自分に押し寄せてくる情報にまだうまく対応できないために泣いているのかもしれません。赤ちゃんはとくに夕方になると長いあいだ泣きつづけることが多いようです。生まれて数週間の小さな赤ちゃんは、まわりの刺激に興奮し、耐えきれずに泣きはじめることで、刺激から自分を守っているのかもしれません。

●赤ちゃんを無理やり落ち着かせようとするのはやめましょう。ひっきりなしにおっぱいをあげたり、だっこしたり、揺すったり、しゃべったり、ベビーカーを押して走りまわったり、いくつもおもちゃを与えてみるのは、子どもがさらされている刺激をさらに増やしてしまうことになります。

赤ちゃんのおなかをいっぱいにし、おむつも替えてさっぱりしたのなら、やさしくなでたり、静かに揺らしたり、静かな声で話すように心がけてみてください。

●泣いているときに、頭や腕を後方に曲げて反り返ってしまい、落ち着くことができない赤ちゃんは、そっとリラックスできる姿勢に直してあげましょう。お母さんのおなかの中でとっていた姿勢が、たぶんベッドの中にいても一番ラクなはずです。

●五～十分間働きかけてみても赤ちゃんが落ち着きを取り戻さない場合には、赤ちゃんは「静かに放っておいて」といっているのだと解釈しましょう。

それから五～十五分間はベビーベッドに入れたまま、ひとりで落ち着きを取り戻すかどうかを静かに見守ってみましょう。しばらくしたら「もう大丈夫かな」などと話しかけ、そばで見守っているということを知らせましょう。赤ちゃんが「あなたに助けてほしい」と思っているなら、きっとあなたにもわかるようなかたちで助けを求めてきます。人に助けてもらわなくても落ち着きは取り戻せるんだということを、学ぶ機会も与えてあげましょう。

●赤ちゃんに、泣けばお母さんがべったりと自分にかまってくれるとはかぎらないと、学ばせることも大事です。赤ちゃんが泣いていても、お母さんは時折別の用事も片づけましょう。その一方で、赤ちゃんがごきげんなときこそ、とくに積極的に働きかけ、「泣かなければお母さんはかまってくれない」「泣きやむとかまってもらえなくなる」と誤解させないように気をつけましょう。

●睡眠、お遊び、散歩、食事の時間がいつも規則正しければ、赤ちゃんも一日のリズムを把握しやすくなります。「ラク」な赤ちゃんには必要のないこの生活の規則性は、周囲の環境の変化に対して敏感に反応する赤ちゃんほど必要とされるものです。

●次のこともお忘れなく。

生後三カ月以内の赤ちゃんは、とても限られた範囲でしか行動できません。たとえば、長時間何かを凝視することはできません。げんこつを口にくわえたりするために手を口のほうへもっていくこともできません。視線と手の動きを調整することもできません。まだひとりで遊ぶこともできません。

自分で何ができるでしょうか？　もう少し時がたてば、いろいろな能力が備わってきます。何か自分でもできるようになれば、もう泣かなくてもよくなるのです。

よく泣く赤ちゃんほど、睡眠障害を起こしやすいといえます。親はだっこしたり、揺らしたり、おっぱいをあげたり、あらゆる努力をして赤ちゃんを眠らせるように仕向けてきました。もちろん、それは正しかったことです。でもそれがクセになると、赤ちゃんが成長して本当は自分で寝つけるようになっているのに、そういった習慣をやめることができなくなってしまいます。

月齢三カ月か四カ月になれば、赤ちゃんは自分で落ち着きを取り戻すことができるのです。でもそれまでのクセで、興奮したら特別扱いをしてもらいたがります。そんな子どもでもこの月齢になれば、自分ひとりで眠りにつき、夜中も数時間、ミルクなしで眠り通すことを覚えることができます。

月齢六カ月から小学校に上がるまでは、「夜間安眠」リズムを身につけるとき

あなたの赤ちゃんが規則的な睡眠時間に慣れていないとしても、今からトレーニングして遅すぎることはありません。あなたの赤ちゃんだって、生理的には夜中のおっぱいはいらず、赤ちゃんに夜必要な十一時間の睡眠をとることができるのです。十一時間を超える睡眠が必要であれば、日中昼寝をさせて補うようにします。

赤ちゃんの寝つきをよくする効果的な「おくすり」は、規則正しい生活です。

昼間でも夜でもいつも同じ時間に就寝させていると、赤ちゃんは数週間後にはいつも同じ時間に眠くなるようになります。体内時計がそのリズムにセットされるのです。

夜中に何度もミルクを飲む赤ちゃんの体内時計は、なかなか「夜間安眠モード」に切り替わりません。

体温もホルモンレベルも身体の活動も、体内時計によって調整されています。だからこそ一日の生活リズムとこの体内時計は合っていなくてはなりません。そうしなければ、体調も狂ってきます。シフト制で働いている人ならよくご存知でしょう。夜勤明けの日は、食べたり寝た

りできる時間帯に食欲もなく熟睡もできないことが多いでしょう。多くの夜間労働者は健康上の問題を抱えています。

赤ちゃんや幼児の睡眠障害は、寝たり食べたりする時間を子ども任せにして、親がリズムをつくってあげない場合に起きるものです。

もちろん、親が何もしなくても自然にうまくいく子どももいます。でも、成り行きしだいで、月齢六カ月のヤンくんのようなことになってしまうことだってあります。

ヤンくんは、生まれたときから好きなときにおっぱいを飲んでいました。六カ月めには、授乳は一日に六〜九回ほどでしたが、そのうちの三回は夜間です。就寝時間もまちまちで、午後六時半から真夜中のあいだのいつか。朝は六時半から十時のあいだに目が覚めます。昼寝は一日に一〜三回。昼寝の時間も一〜六時間と大きな幅がありました。

夜中の授乳後は、すぐには眠れないこともよくありました。これは当然のことです。こんなリズムでは、夜中の二時に目覚めたときと三時のお昼寝から目覚めたときの違いをヤンくんの身体がわかるはずがありません。

お母さんは、十日間にわたって睡眠時間、授乳時間、そして泣いている時間を二十四時間表に記入して初めて、ヤンくんのリズムがいかにめちゃくちゃになっているかに気づきました。

図表3を見てください。

あなたの赤ちゃんの生活リズムが不規則なら、あなたも数日間にわたり、同じように二十四時間表をつけてみてください。この表をもとに、規則正しい生活パターンに導いていくようにすればよいのです。

ヤンくんの生活パターンには、いくつかの問題点がありました。

まず、おっぱいを飲みながら眠り、夜中にも何度かおっぱいを飲むという点。これはやめなくてはなりません（やめさせる方法については第3章を参照してください）。

でも、なによりも大切なことは、規則正しい生活リズムを身につけることです。

月齢六～十二カ月の赤ちゃんは、たいてい一日に二回の昼寝をします。お母さんは、ヤンくんの理想の就寝時間は夜八時だと思いました。

いったん決めたら、これからの数週間はひとまずこの時間から三十分程度しかずれないように気をつけなくてはなりません。ヤンくんのお母さんは次のような睡眠の基本パターンを決めました。

・夜間の睡眠――午後八時から朝七時
・午前中の昼寝――十時から十一時半
・午後の昼寝――午後二時半から三時半

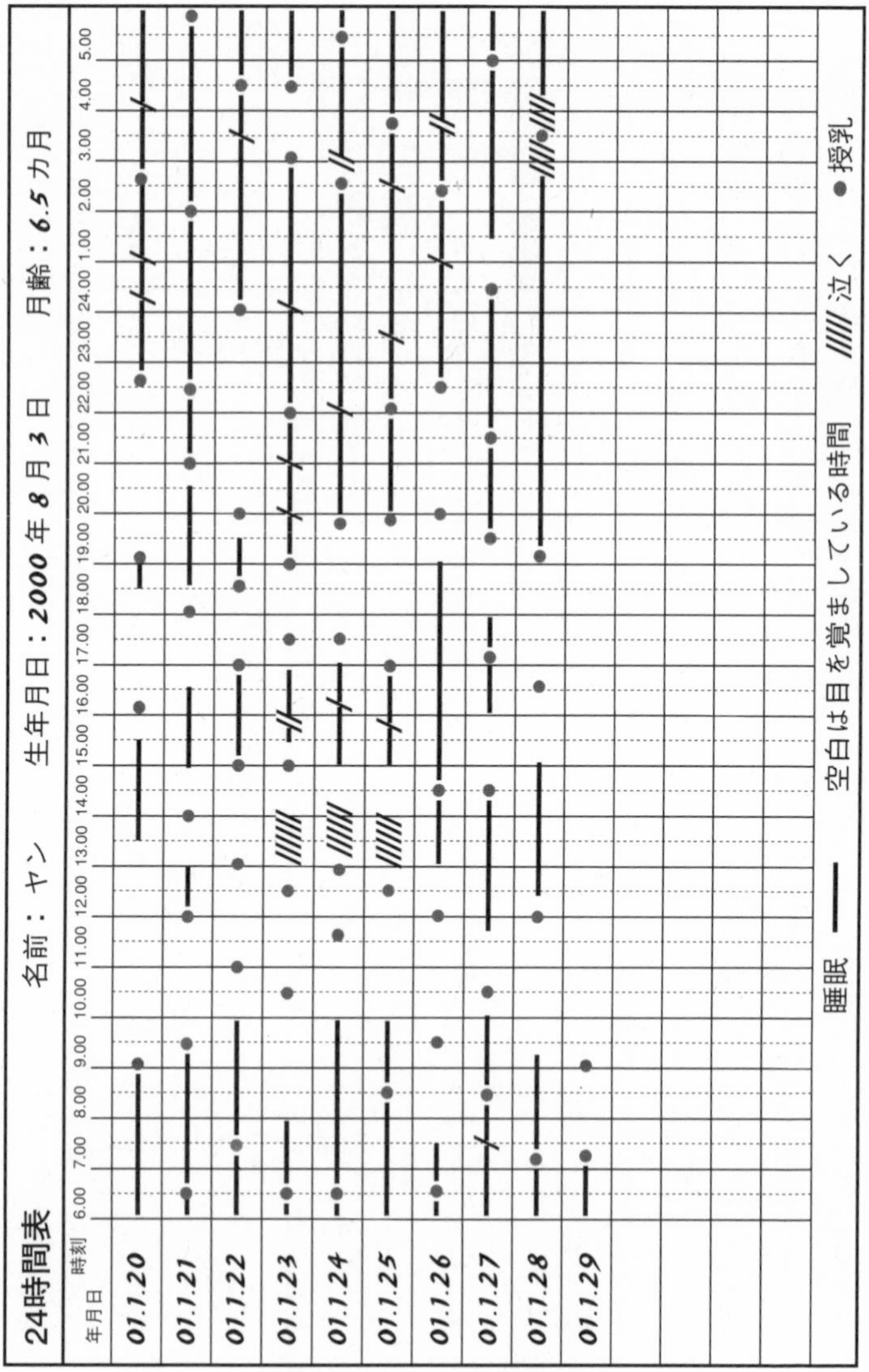

図表3 ヤンくんの睡眠記録

赤ちゃんの就寝時間を何時に決めるかは、親の都合で一番いいときに決めてかまいません。赤ちゃんが午後七時に就寝したほうがいいのなら、前述のリズムを一時間前にずらせばいいわけです。赤ちゃんが午後九時に就寝する場合には、昼寝の時間も一時間後ろにずらします。赤ちゃんがあなたの決めた規則的なリズムに慣れるまでは、何日か必要です。

次のことに配慮すればうまくいくでしょう。

規則正しい生活リズムをつけるためのヒント

●たいていの子どもは夜十一時間の睡眠が必要です。赤ちゃんの就寝が夜の七時なら、起床は朝の六時になります。

●昼寝の前は少なくとも三時間、そして夜の就寝前には、少なくとも四時間は目を覚ましているべきでしょう。

●規則正しい睡眠時間に慣れるには、目を覚ましたままベッドに入れるのが一番です。

●赤ちゃんを起こすのをためらうことはありません。決められた睡眠時間が過ぎたら起こして大丈夫。むしろ、生活リズムをつけるためには起こすことが必要です。

●食事の時間も一日の日程のなかに規則的に組み込みましょう。昼寝の前か後かなど、子どもにいつ食事をさせるかは、あなたが決めます。大事なのは、一度決めた順序は崩さないということです。

親によっては、このように時間的な枠を固定することに抵抗があるようです。「子どもを連れて買い物に行ったり散歩に行こうと思っても、子どもが寝ているのでリズムが狂うと思うとできない」という声をよく聞きます。

確かに最初の数週間は、子どもの生活リズムを崩さないように配慮することは大切です。散歩も買い物も、しばらくのあいだは、子どもの昼寝の後にしましょう。

子どもの睡眠時間に配慮しなくてはならないトレーニング中は、親は思うように行動することはできないかもしれません。

でもここで一度がんばれば、数日以内に赤ちゃんは毎日同じ時間に一～二時間は静かにネンネしてくれるようになります。これはあなたにとってもよいことです。

「二十分間程度ベビーカーか車の中でしか眠らない子ども」に慣れていた親は、それまで体験したことのない開放感を満喫することになるでしょう。昼寝が規則的にできるようになると、赤ちゃんはそれまでの慢性的な睡眠不足を挽回することができます。トレーニング前に比べて一日あたり二～三時間も長く眠るようになる子どもも珍しくありません。

もちろん、大事な予定のあるときは、赤ちゃんの生活リズムを崩すことになっても仕方のないことです。でも二〜三週間トレーニングした後なら、たまに例外的な行動をしてもまったく問題ありません。週末に出かけたり、短期間の旅行に連れていってもまったく大丈夫です。一〜二日のうちに、赤ちゃんは「ふだんの生活リズム」に戻ってくれるでしょう。

一日に一回しか昼寝をしないちょっと年上の子どもがもうひとりいる家庭では、「午前」「お昼」「午後」のいつの時間にも誰かが昼寝をしていて、少しも自由に行動できないと嘆く親がよくいます。ふたりの子どもが同じ時間に昼寝をしてくれたらと思うのも当然でしょう。

そんな場合には、下の子が月齢九カ月を過ぎたら、次のような方法で昼寝を一日一回にするように練習させます。

自然に任せていても、小さな子どもは十〜十二カ月のころに昼寝を一日二回から一回に切り替えます。しだいに午前中の昼寝の時間になっても眠くならなくなります。すぐには眠らず、しばらくベッドで遊んでいたり、おしゃべりしたりするようになります。子どもによっては、ベッドに入れると泣いたりします。

これが昼寝を一回にするタイミングです。

そこで、午前の昼寝の時間を一時間から一時間半ほど後ろにずらします。お昼に寝かせ、午後の昼寝はやめます。過渡期には、たとえば二週間程度、昼寝を一回にしたり二回にしたりと交互にしてもいいでしょう。

また子どもは大きくなるにつれ、あなたが指定した時間に眠れるようになります。昼寝の時間が昼食前だろうが昼食後だろうが、午後一時からだろうが二時からだろうが、子どもは指定された時間に眠れるようになるのです。子どもの睡眠は、あなたが家族全体の生活リズムを考えたうえで、一番適切な時間に合わせればいいのです。

重要なのは、夜の就寝前には少なくとも四～五時間は起こしておくことです。

そして二～五歳になると、ほとんどの子どもが昼寝をしなくなります。

たいていの子どもは二～三歳ごろに自然に昼寝をしなくなるでしょう。子どもによっては、昼寝をしたそうにする子もいます。けれども、それで寝かせてしまうと夜の十時を過ぎても元気で目が冴えてしまったりします。多くの親はそうなるよりも昼間は寝ずに夜長くまとめて寝てもらったほうがラクだと思うようです。

昼夜逆転型の睡眠パターンの直し方

わたしたちの診療所では、家族にとって大変負担になるような大変突飛な睡眠パターンがクセになっている子どもの相談をたくさん受けます。

たとえば、月齢十七カ月のビアンカちゃん。一日に一回は、不特定な時間に一〜二時間ベビーカーの中で眠ります。夜は、両親はいつもビアンカちゃんが自然に眠くなるのを待っていました。夜の十時から十一時のあいだにビアンカちゃんはおっぱいを飲みながら寝入ります。そして、夜中、多いときには五回もおっぱいを飲みたがります。起床は朝の七時半。一日の総睡眠時間は十一時間にすぎませんでした。

そんなビアンカちゃんでも、たった一回の相談で、十日以内に一日平均十三時間眠るようになりました。

わたしたちのアドバイスは、ビアンカちゃんが目を覚ましていても、昼も夜も同じ時間にベッドに入れるようにするというものでした。お昼は毎日同じ時間に、夜は毎日十分ずつ早くしていきました。今では夜八時半にはベッドに入れます。ビアンカちゃんはほとんど抵抗しませんでした。早く寝かせるだけで、眠る時間が自然に増えたのでした。

一年後、わたしたちはビアンカちゃんが夜の八時から朝の八時まで通して眠るようになったとの報告を受けました。わたしたちは両親から「先生のトレーニングのおかげで、次女にも恵まれました」という手紙をもらいました。

月齢六カ月のバーバラちゃんも、夜十時から十二時のあいだに就寝していました。お母さんは食事の時間は規則的にしていましたが、眠る時間は子どもに任せていました。バーバラちゃんの好きに任せたところ、夜中は三時間起きている、一日に三回昼寝をする、そしてそのなかの一回は夕方の六時以後にして、夜ベッドに入るのをいやがり、だっこをしながらでないと寝つかないというふうになってしまいした。

相談の結果、お母さんは食事だけでなく就寝と睡眠の時間も規則化することに決めました。バーバラちゃんが目を覚ましていてもベッドに入れることに決めました。夜は十時から朝の八時半まで、お昼は十一時半から一時まで、夕方は四時から五時までがベッドで過ごす時間です。

しばらくしてお母さんは、バーバラちゃんを夜九時に寝かせるほうが都合がいいと思いました。そこで、それからは就寝時間が夜九時になるまで毎日、全体のリズムを十分ずつ早くずらしていきました。切り替えは簡単に成功しました。バーバラちゃんは二日めからは夜も通して眠れるようになりました。

昼寝の時間が多すぎると、バーバラちゃんのように夜の就寝がうまくいかず、夜も通して眠れないようになってしまうことが多いものです。

重症だったのは二歳半のナディーンちゃん。月齢三〜六カ月のころは、夜もちゃんと通して眠っていたのですが、その後両親が絶望するほどの睡眠障害を起こしてしまいました。両親は何人もの小児科医に相談をしました。精神安定剤などのくすりまで飲ませてみましたが、まったく効果はありませんでした。

相談にきたときの状態は次のようなものでした。

ナディーンちゃんは夜の八時ごろ、何の問題もなくベッドに入ります。寝つきはとてもよいのですが、夜の九時には目を覚ましてぴんぴんに元気になって起きたがります。いくら親がもう一度寝かせようとしてもうまくいかず、起きだしてしまうのでした。

夜の九時以降に、ナディーンちゃんは両親のいる居間に出てきて遊び、ピーナッツなどをつまみます。親がテレビを見ているあいだは、たいていはおとなしく遊びます。両親は、子どもにつきあって毎晩交代で深夜までテレビを観ていました。十二時半ごろナディーンちゃんはやっと眠くなり、ソファーの上で寝てしまいます。ぐっすり眠りはじめたら、ベッドに運びます。それからは朝の八時か九時まで通して眠るのでした。そして時折、お昼の十二時ごろに一回昼寝をします。

ナディーンちゃんの場合は、正確な診断をすることがポイントでした。夜八時から九時の睡眠は、どうもナディーンちゃんの身体にとっては「昼寝」のようです。昼寝をした直後にもう一度眠るのは無理です。その後の三時間半、ナディーンちゃんの体内時計は「元気に遊ぶ」モードになっています。単に身体がこのリズムに慣れてしまっているということです。この時間帯にピーナッツやポテトチップスを食べたりするので、ますます身体は「目が覚めて」しまいます。

「治療」は、昼寝を昼寝として扱い、夜間の睡眠時間をこの昼寝と一緒に徐々に前へずらしていくというものでした。同時に、ナディーンちゃんは毎朝八時には起こされることになりました。

四日め、ナディーンちゃんは夜九時半には就寝するようになっていました。昼寝は、思いきって日中にずらしました。ナディーンちゃんはまったく抵抗しませんでした。一晩通して眠るようになりましたが、そればかりか以前に比べて睡眠時間が一～二時間も増えました。七カ月後のアフターケアでは、ナディーンちゃんは夕方の六時半から朝の七時半まで通して眠るようになっていることがわかりました。

このケースで、両親がやらなくてはならないことはふたつだけでした。

睡眠時間をずらし、決まった時間に起こすという二点です。

子どもが夜中に活動し、その分を定期的に日中昼寝をして睡眠を補っているような昼夜逆転型のケースでは、決まった時間に起こすようにするだけで奇跡的な効果があらわれます。

二歳のジェニーちゃんもそうでした。予定日よりも三カ月も早く生まれたジェニーちゃんは、はじめのうちは「かんの虫」がひどく、よく泣く子どもでした。夜中には、長時間目を覚ましています。夜の八時から朝の九時まではベビーベッドに入っていましたが、毎夜一回は目を覚まして、数時間は起きていました。そのうちの一時間程度はおとなしく遊んだり、おしゃべりしたりしますが、その後は泣きはじめ、お茶を飲んだり、だっこされたりしていました。しばらくすると泣きやみ、また短時間遊び、そして泣くということが繰り返されます。毎晩、夜中の二〜三時間はこうして過ごすのです。日中には、途中で目を覚ますことなく毎日三時間程度昼寝をしていました。

ジェニーちゃんの場合、睡眠時間は充分足りています。問題は、その時間帯が親にとってとても大きな負担になっているという点にあります。このケースで親がやらなくてはならないことは、ただひとつ。娘を決まった時間に起こすことです。朝は八時に、そして毎日少しずつ前にずらしていって最終的には毎朝七時に起こすことにしました。また昼寝は、眠って二時間たったら必ず起こすことにしました。

ジェニーちゃんは、数日後には一晩通して眠るようになりました。夜中に起きていて不足した睡眠を午前中やお昼に挽回できなくなったので、夜眠るようになったのです。

多くの親は、夜中に起きていた子どもが早朝やっとおとなしく眠りはじめたところを「たたき起こす」ことに抵抗があるものです。ですから、毎日赤ちゃんの夜中の活動につきあって、親が睡眠不足になっている場合、週末などはどんなチャンスでも利用して自分が寝たいと思うのも人情です。

でも、ジェニーちゃんのようにリズムが狂っている場合には、定時に起こすことほど簡単で効果的な手段はありません。数週間もしないうちに、新しいリズムが習慣になり、子どもを起こす必要はなくなります。

夜中に眠ってくれないという問題と並んで、もうひとつ、よくある問題があります。極端に早起きをする赤ちゃんや幼児です。おとなの世界と同じで、子どもにも早起き型と夜ふかし型があります。でも、自分の子どもが朝の五時に起きる早起き型でも、あきらめる必要はありません。

月齢十カ月のセバスティアンくんがそうでした。朝は五時、遅くても五時半には目を覚まします。八時から九時のあいだにはもう一度眠り、十時ごろに起きます。そして、昼の十二時ごろには昼寝し、夜は七時ごろに就寝します。

セバスティアンくんの特徴は、第一回めの「昼寝」を午前中のとても早い時間帯にして、二回めの昼寝までの間隔が短い点でした。セバスティアンくんが朝初めて目を覚ますのは、そのすぐ後にもう一度眠れることを前提にしているようでした。

お母さんは、十二時の昼寝はどうしても上の子と一緒にさせたいのでずらしたくないというのです。それなら、残されている方法はひとつしかありあせん。午前中はできるだけ眠らせず、昼寝は十二時にするいう方法です。

最初の何日かは、セバスティアンくんはとてもむずかり眠そうでした。朝それまでよりも遅くまで眠るようになるまでに、二週間かかりました。

早起きを直すのは夜ふかしに比べ大変です。少なくとも二週間かかる覚悟が必要です。トレーニングが成功したかどうかは、それくらい辛抱してからでなければ判断できません。

早起きな子どもをもった親へのアドバイス

●あなたのお子さんは夜七時前に就寝していますか？　それなら、朝の五時か六時に目を覚ますのは当然です。就寝時間をもう少し後ろにずらしましょう。
●朝五時に目覚めたら、すぐに授乳をしていますか？　場合によっては、この時間帯におなかが空くクセがついているのです。授乳時間をできるだけ後ろにずらす努力をしましょう。

●あなたの子どもは、セバスティアンくんのように、九時半前に一回めの「昼寝」をしていますか？　もしそうなら、その「昼寝」の時間をできるだけ後ろにずらしてみましょう。

●あなたの家庭では、誰かがとても早く起きていませんか？　早朝は眠りが浅くなるので、ささいな物音でもすぐに目が覚めてしまうのは、普通のことです。そのうえ睡眠需要がほぼ完全に満たされているため、一度目が覚めてしまったら再び寝つくことは難しいでしょう。こんな場合、あなたにできることはあまりありません。できるだけ静かにすることです。

「おやすみなさいの儀式」が安眠へといざなう

ある講演会で、「子どもを寝つかせるときは、おっぱいや哺乳びんをしゃぶらせないほうがいいとか、だっこも添い寝もよくないということはよくわかりましたが、就寝前の時間はできるだけ居心地を悪くしなくちゃならないということでしょうか」という質問を受けました。

もちろんそんな必要はありません。赤ちゃんでも幼児でも、就寝前の数分間を和やかな時間にすることはとても大切です。とくにいろいろな動作が儀式のように毎晩繰り返されると、赤ちゃんも心の準備がしやすいものです。

たとえば一緒に夕食を食べ、着替え、身体を洗い、歯を磨くといった規則的なことは、毎日同じ順序で、同じ時間に繰り返すとよいでしょう。

そしてすべての用意がすんだら、「お楽しみの時間」になります。子どもと一緒に和やかに一日を終えるための余裕をつくりましょう。あなたとお子さんの一番好きなことをします。だっこをする、歌を歌う、お祈りをする、メルヘンを話して聞かせる、絵本をながめるなど。ある程度の年齢の子どもなら、自分で好きな本を選んだり、寝る前の時間にはお母さんやお父さんとこんなことがしたいとお願いすることもできるでしょう。重要なのは、生活リズムの大枠だけは子どもに任せず、しっかりと親が決めることです。

あなたが優柔不断な態度を示せば、子どもはすぐに気づきます。もっと絵本を読んでほしいなどといって、寝る前の「お楽しみの時間」を延ばそうとするでしょう。でも、毎晩一緒に過ごす時間にすることが儀式のように決まっていれば、駄々をこねたりけんかには発展しません。子どもも夜のお楽しみは時間が限られていること、あるいは、絵本は一冊だけといったルールを受け入れます。

寝る前のひとときをあなたと親密に過ごしている子どもは、親の助けを借りずにひとりで寝つくという、重要なステップをより早く身につけます。親のそばで安心感や庇護や愛情を感じながら、子どもは「ひとりで眠る」ために必要な勇気と力を蓄えます。そしてこのような力を授けられた子どもは、自立した人間としての自分自身の能力を意識できるようになるのです。「両親はいつも自分を見守り、必要なときには必ず助けてくれる」という安心感があれば、ベッドでひとりになっても、平穏な気持ちでいられるのです。親が子どものそばにいなくても、親の愛情は伝わります。

でも、子どもが「親に守られているので安心だ」という気持ちになるためには、親には子どもの行動にけじめをつけたり善悪を判断したりする自信と力があるということを示さなければなりません。親は子どもの気まぐれやわがままの言いなりになるような、弱い存在ではないということを子どもが信じられなくてはならないのです。

次のようにすれば、子どもは夜あなたから物理的に離れていても安心して眠れるようになります。

赤ちゃんのときから、ベッドでネンネするときに必ず登場する小物を用意します。布きれでも、おむつでも、クッションでも、人形やぬいぐるみでも、子ひつじの毛布でも結構です。子どもが自分で探すことができるのなら、おしゃぶりでもかまいません。

「おうちでネンネ」を象徴する小物があれば、不安になったときに探しだして安心することができますし、旅行に行ってよそで眠ることになっても、「おうち」をもって歩くことができます。子どもによっては自分でそのような小物を見つけることもありますが、あまりそういったことに興味のない子もいるでしょう。自分でネンネグッズを見つけられない子どもには、夜寝る前のお話や遊びの時間にいつも同じ人形やぬいぐるみを登場させ、「安心」を象徴する小物であることを教えてあげるようにしましょう。

また夜寝る前のひとときを、「安心できる和やかな時間」にする方法もいろいろあります。子どもの好みや興味を考えて、遊びやお話や歌を選んでみましょう。子どもの年齢に見合った静かなものが適しています。もちろん、親子で楽しめるものでなくてはなりません。いろいろなマニュアル本も出ていますから参考にするのもよいでしょう。もちろん、子どもがこわがるようなスリルに満ちたお話やカセットテープを聞かせたり、床の上で暴れなくてはならないような遊びはあまり適していません。

「正しいお話」を選ぶことよりももっと大切なことは、毎晩規則的に子どもにかまってあげることです。帰宅の遅いお父さんやお母さんでもこの時間を大切にし、子どもとの対話を深めるよい機会と考えましょう。

「遊びは一緒にネンネはひとりで」というのは、生まれて七カ月か八カ月の赤ちゃんでもわかるルールです。「遊ぶ」といっても、これくらいの年齢ではまだだっこしたり、ほおずりをしたり、歌を歌ってあげたりすることくらいです。長い時間遊ぶ必要はありません。

乳児のうちは、お風呂に入ったりおむつを替えたりすることも、大切な「おやすみなさいの儀式」です。小さな赤ちゃんのころと同じように、おむつ替えの時間を少し引き延ばして、愛情を示してあげましょう。

一歳を過ぎたころからたいていの子どもは、簡単な絵本やお話、指遊びがわかるようになります。二〜三歳になれば、絵本を読んでもらうことが大好きになるでしょう。学校に上がるまでに多くの子どもは就寝前の読書が欠かせないものになり、字が読めるようになると自分で読んでみようという興味がわいて、本好きの子どもに育ちます。

小学生になると、寝る前の三十〜六十分間はひとりで子ども部屋に入って何か好きなことをすることもあります。

このように子どもは、成長とともに自然に夜眠るための行動を身につけます。そのため、親がすべき一番大切なことは、何時までに就寝の準備をすませ、いつ消灯するかといった生活の「枠」を決めることです。そして、これらの規則を守らせることです。きちんと約束の時間までに歯磨きと着替えをすませたら、親と一緒に就寝前の時間を楽しみます。でも、だらだらするようなら、お楽しみの時間はとばしてそのまま定時に就寝させるべきでしょう。

一緒に遊んだら、ひとりで眠る。

もちろん、これは子どもが慣れていなければうまくいきません。これまでは、寝つくときには必ず親がそばにいたり哺乳びんがあったりしたけれど、これから習慣を変えたいと思ったのであれば、親はもちろん子どもからもなじんでいる習慣を奪わなくてはなりません。

当然、子どもはいやがるでしょう。でも、仲良く就寝前にいつも同じことをしている親子なら、切り替えはそんなに苦にならないはずです。

大切なことは、「おやすみなさいの儀式」には、はっきりとした区切りをつけることです。たとえば、絵本を読み終わったら、本をパタンと音をたてて閉じるというようなかたちで。そして、子どもをベッドに入れ、布団をかけ、消灯し、おやすみなさいのキスをして、すぐに部屋を出ていくとか。そうすれば子どもは、どんな口実を使ってもあなたを引き止めることはできないということを感じ取ります。

こんなときに、あなたが部屋を出ていくのをためらったり、「もう出ていってもいいかしら?」などと聞いてしまうと、お子さんはあなたの迷いを感じ取り、自分にあなたを動かす権力があると思ってしまいます。「ルールを決めるのは僕だ。もしここで僕が泣けば、お母さんは出ていかない」というように。こうして、いつの間にか大変なことになってしまうこともよくあります。

月齢十五カ月のマルクスくんは、お母さんかお父さんがそばに「いなければ」寝つくことができませんでした。とくに何をするわけではなく、ただマルクスくんのベッドのそばに立っていればよいのでした。マルクスくんが数分以内に眠りについていたうちは、両親ともそのことをまったく気にしていませんでした。

ですが、一歳を過ぎたあたりから、寝つくまでにしだいに時間がかかるようになっていきました。相談に訪れる前の数週間は、毎晩お父さんかお母さんが、少なくとも一時間はマルクスくんのベッドの横に立っていなくてはならないという事態に発展していました。どうもマルクスくんは、「眠ってしまったら、お父さんもお母さんも出ていってしまう」と警戒しているようです。

親にとっては悪夢のような「おやすみなさいの儀式」に発展してしまいました。ベビーベッドのそばに一時間以上も立っているのは少しも楽しくなく、いらだちの原因になっていました。マルクスくんにやさしく、愛情をこめてかまってあげるような心の余裕などありません。親は、早く子ども部屋から出ていきたいとばかり考えるようになっていました。

もちろん、マルクスくんもこの親のいらだちを感じ取っているに違いありません。そこでますます親の注意を引こうと、眠らずにがんばるようになってしまったのです。

相談の結果、「おやすみなさいの儀式」を変えることになりました。

お父さんとお母さんはマルクスくんを寝る前にはひざにのせ、十分間ほど一緒に絵本をながめるか遊ぶことにしました。それからマルクスくんをベッドに入れ、部屋を出ていきます。一時間もいらだちながらベッドのそばに立っていたときに比べ、みんなにとってこの十分間はなんと充実したものだったでしょうか。

マルクスくんが泣かずにひとりで眠れるようになるには五日かかりました。でもマルクスくんがこの五日間で泣いた時間は、合計で十五分間にすぎませんでした。そして、この十五分間を我慢したおかげで、家族の関係は改善し、きずなはいっそう深まることになったのです。

マルクスくんは特別に変わったケースではありません。月齢九カ月のモナちゃんも、眠るまで毎日二時間半かかっていました。

モナちゃんのお母さんは、モナちゃんが眠りにつくまで部屋にいて、ずっと見守っていました。途中でだっこしたり、手を握ったり、ベッドに座らせたり。このようなことを一晩に何度も繰り返していました。

モナちゃんのお母さんは昼間働いています。ですから、この二時間半をとても楽しんでいるようでした。そして夜、娘から離れることに大きな抵抗を感じているようでした。モナちゃんの場合、お母さんを相談に連れてきたのは、日中モナちゃんの面倒をみているおばあちゃんでした。

相談の後、モナちゃんのお母さんは（後ろ髪を引かれる思いでしたが）、おやすみなさいのキスをしたらモナちゃんの部屋を出ることにしました。そして、部屋を出た後、すき間から娘が寝つくまでの様子を見ていました。

おどろいたことに、モナちゃんは泣いて抵抗したりしませんでした。最初は一時間ほど目を覚ましていましたが、五日後には数分間たつと眠るようになりました。まるで、静かに眠れるようになるのを待っていたかのようでした。


子どもによっては、「おやすみなさいの儀式」の変更に非常に激しい抵抗を示すことがあります。そんなとき、どのような手立てがあるかは、第3章を見ていただければわかります。

最後に大切なヒントをひとつ。

おやすみなさいのキスの後、ドアを閉めきらずにすき間をあけておくと、たいていの子どもは安心して眠ります。明かりが見え物音が聞こえると、親が近くにいることがわかって安心するのでしょう。

間取りが許すかぎり、子どもが望むのであればドアを開けておいてください。わが家の娘も三歳のときには、毎晩寝る前に「お母さん、ドアを大きく開いておいて！」といっていました。

子どもを親のベッドで眠らせることについて

幼稚園で先生をしている友人が、三〜六歳までの自分が面倒をみている組の子どもに「いつもひとりで自分のベッドで眠っていられる？」と聞いたところ、「イエス」と答えたのは二五人のうちたったひとりだけだったという話を聞きました。ほとんどの子どもが夜の少なくとも一部を親のベッドで過ごしているようでした。

もちろん、これは極端な例かもしれませんが、六歳以下では親のベッドで眠る子どもがとても多いのです。

たとえばスウェーデンの調査では、三歳児の五〇％以上、九歳を超えている子どもの三割近くが親のベッドで寝ることがあるとのことです。「こんなに多いのなら問題ないのではないか」と思いたくなるでしょう。でも、面白いことに、親のベッドで寝ている子どもは必ずしもほかの子どもよりもよく眠るわけではありません。むしろその逆であることがわかっています。

欧州では、親のベッドで寝ている子どもは寝つきが悪く、夜中に何度も目を覚ますという統計があります。不思議なことに、「添い寝」が当たり前と思われている文化圏では少し違う結果が出ています。伝統的に「添い寝」が当然と思われているところでは、子どもの睡眠障害に関する報告は少ないといえます。その理由は解明されていません。

では、親のベッドで眠らせるのは良いことなのでしょうか、悪いことなのでしょうか?

簡単に答えられる問題でないことはおわかりでしょう。でも子育てをしているなかで、ときどき子どもを親のベッドで寝かせるべき場面はあると思います。

たとえば――、

・子どもが高熱を出しているとき。呼吸が浅く、脈拍も早くなっています。ちょっとした異変にもすぐに対応したいとき

・子どもの咳がひどく、ときどき呼吸困難に陥るような場合。非常時にあなたが子どもを連れてすぐに行動したいとき

子どもが重い病気にかかっているときに、親がそばにいることは当然よいことです。子どもを親のベッドで寝かせることが一番手軽で有意義な対処方法であることはよくあります。

あるいは、子どもが夜中に恐怖を感じたり、パニックに陥っているときは、変な夢を見たり昼間に見聞きしたことがうまく処理できないでいるのかもしれません。一時的であっても、親がそばにいてくれるという安心感が必要なこともあるでしょう。ただし、こういった恐怖感や不安が長期にわたって解消しない場合には、昼間のうちにその原因を究明し、解決すべきです

（第5章を参照してください）。

でも、多くの子どもは、親のベッドで眠ることが例外ではなく、あたりまえになってしまっています。これは、親子関係、そして夫婦関係にとり、よいことなのでしょうか。

次の質問に答えてみて、自分の状態をもう少しよく把握してみましょう。
・子どもがあなたの横、あるいはあなたと配偶者のあいだで寝ていることを、あなたは邪魔に感じることはありませんか？
・そのことによって、睡眠を妨害されていませんか？
・夫婦の性生活は妨害されていませんか？
・子どもは寝つきが悪く、あるいは夜中に何度も目を覚ましたりしていませんか？
・子どもが夜間あなたのそばにいることを必要としているのは、あなたではありませんか？
・子どもをそばにおいて、自分の孤独感をいやしていませんか？
・あなたの配偶者は、子どもを親のベッドで寝かせることについて、あなたと違う意見をもっていませんか？
・あなた、あるいはあなたの配偶者のどちらかが「今のような状況を変えたい」と思っていませんか？
これらのすべての質問に「ノー」と答えましたか？

それなら大丈夫、まったく問題ありません。あなたは、きちんとわかったうえでお子さんを親のベッドで寝かせているのでしょう。そして、そのことをよいことだと確信していると思います。そういう確信に反して、無理に状況を変えるのはよくないことです。

ですが、これらの質問のひとつ、あるいはいくつかに「イエス」と答えた人は、事情がちょっと違うと思います。実は自分の意思に反して、ときには何人もの子どもを自分たちのベッドの中に入れてしまっている親も珍しくありません。意識的に決意したことではなく、「いつの間にかこうなってしまった」ケースです。病気のときに親のベッドで寝かせたら、治ってからも居座られてしまったというようなことかもしれません。例外と考えていたことが、普通になってしまったのです。

あるいは、こんなこともあります。

子どもが毎晩親のベッドにやってきて、狭いので父親が子ども部屋へ引っ越し、朝は子どものベッドで目を覚ます。母親はダブルベッドの端っこに小さくうずくまり、子どもがダブルベッドの上で大の字になって寝ているのです。

これは、このような家庭の実態をとてもよく象徴しているのです。

小さな子どもの意思で、親が隅に追いやられ、家庭の主役を子どもに譲っているのです。

子どもがうるさいからと子どもの言いなりになってしまうと、長期的には子どもと常に権力争いをしなくてはならないような事態を引き起こします。親としての責任から逃げず、子どもにけじめをつけさせなくてはなりません。家族のためにどういう状況が望ましいかは、親のあなたが決めるべきです。

子どもに判断を任せたところで、子どもは責任をとれません。両親のあいだで大の字になり夫婦を切り離したとき、子どもは自分の権威を感じ取るでしょう。でも、子どもにこのような力をもたせると、後で大変な事態を引き起こすこともあります。親がけんかをしたり離婚したりしたときに、子どもが自分の威力と親の不和を関連づけ、重い罪の意識に苦しめられることもあるのです。

親によっては、自分のさびしさをいやすために子どもをベッドに連れてきてしまうこともあります。ひとり親だったり配偶者の不在が多い人は、ひとり寝がいやで子どもをパートナーの身代わりにして自分のところに連れてくることもあります。また、子どもがそばにいるかぎりセックスをしなくてすむと、ひそかに喜んでいる人も結構いるものです。

自分の動機を確認してください。親の心の空白をいやすために、子どもを利用しているのだとしたら、それは子どもに対してフェアではありません。

まとめ

●生まれて六カ月までの赤ちゃんについて

生まれて数週間もたてば、夜のおっぱいは時間を決めてあげましょう。あなたが就寝する前の決まった時間に必ず赤ちゃんを起こして、たっぷりとミルクを飲ませます。そして、しだいに次の授乳までの間隔を広げていくようにします。

昼間もよく泣く赤ちゃんには、とくに規則正しいスケジュールが必要です。泣きやませようと、過剰にかまいすぎないように気をつけましょう。赤ちゃんにも自分で自分を落ち着かせることを学ぶチャンスを与えてあげましょう。

●生まれて六カ月を過ぎた赤ちゃんについて

規則正しい生活リズムが一番の「おくすり」です。目が覚めているうちに決まった時間にベッドに入れてあげると、より早くこの規則的なリズムを身につけることができます。

●お誕生日までの子どもについて

午前に一回、午後に一回の昼寝が必要です。一日で一番長いあいだ起きているのは、夜寝る前の数時間とします。

●どんな年齢の子どもでも

一緒に遊んだらひとりでネンネ。子どもの年齢に見合った和やかなおやすみなさいの儀式は、寝つきをよくし、親子の関係を円満にするものです。子どもと一緒に寝るのは、特別の理由があるときだけにしましょう。

第3章

寝つきの悪い子・夜泣きする子への対処法

この章のポイント

- ●どのような寝つきのクセが睡眠障害につながる可能性が高いか
- ●どうすると子どもはひとりで寝つき、夜も通して眠れるようになるか
- ●夜の授乳はどうやったらやめることができるか
- ●子どもが自分のベッドから起きだしてしまうときに、どのように対処すればよいか

こんな寝つきのクセが夜泣きの原因をつくる

これまでの章を読んで、なぜ、子どもをできるだけ同じ時間に、ひとりでベッドで眠れるようにしたほうがよいのか、納得していただけたと思います。第4章でも詳しく述べますが、子どもが夜泣きをするかしないかは、夜中にふと目が覚めたときにひとりでちゃんと眠りに戻れるかどうかがポイントなのです。

もしかしたら、あなたの赤ちゃんはもう月齢六カ月を過ぎていて、困った眠り方がクセになっているかもしれません。しばらく前から、あなたはこのままでいいのだろうかと不安に思っていたのかもしれません。

そんな人は、この本をここまで読んできて「今さらどうしたらいいのだろう?」と心配になるだろうと思います。

「目が覚めたまま子どもをベッドに入れて、ひとりにするの?」「子どもが自然に眠くなるまで待つのではなくて、わたしが就寝時間を決めるの?」「そんなことしたって、子どもが許すわけないのでは?」「泣きはじめたら、どうしたらいいの?」と思うでしょう。

わたしたちは決して、「放置して泣かせておきなさい」といっているわけでも、「子どもの就寝の問題が自然に解決するまで、あなたが傍観《ぼうかん》しなくてはならない」といっているわけでもありません。自然解消を待ったところで、何年待たされるかわかりません。

もちろん、状況を変えようと思ったら、あなたはひとまず子どもがいやがることをする覚悟を決めなくてはなりません。具体的にいえば、あなたは子どもがやってほしがることを拒まなくてはならないのです。これは赤ちゃんにとっても親にとっても、まったく新しい体験でしょう。

ほとんどの子どもは、まずは猛反発します。それでもほとんどの子どもは、二日から二週間のうちに就寝時の習慣を切り替え、夜中には目を覚まさなくなります。親の課題は、習慣の切り替えをシステマチックにかつ徹底的にサポートしてあげることです。

第4章で説明するように、親の力を借りないと安心して寝つけない子どもの場合、常にふたつの問題が発生する可能性があります。ひとつは、子どもが「警戒」して寝つきがとても悪くなるパターンです。

もうひとつは、夜中に目を覚ましたときに、何かが不足していると思ってひとりでは再び眠りに戻れないパターンです。こちらのパターンの場合、親が慣れた環境を整えてくれるまで泣きつづけます。これは、一晩に何度でも繰り返されることがあります。子どもは夜を通して安眠しなくなるのです。

もちろん、こんな問題が起きないケースもあります。就寝のときにあなたがちょっと助けてあげるだけで、ベッドに入れたときの赤ちゃんの寝つきがよく、翌朝まで安らかに眠ってくれるのなら、あえて習慣を変える必要などないでしょう。でも、あなたの赤ちゃんが夜中に何度も目を覚まし、そのたびにあなたが登場しなくては眠らないようなら、次のように考えてまちがいはありません。

赤ちゃんが寝てくれないのは、あなたがいつも助けてあげているからなのです。

おしゃぶりなしでは眠れない子ども

ロバートくんのお母さんは相談に訪れたとき、途方に暮れていました。わたしたちが相談のはじめに書いてもらうストレス度アンケートの「疲労困ぱい」「神経はずたずた」「もうだめ」という項目に印をつけていました。

ロバートくんは月齢六カ月で、日中は絵本のなかの赤ちゃんのようにご機嫌な子どもです。一日あたりの睡眠時間は合計で十五時間と、ちょっと平均を超えていました。ベッドではひとりで寝つくことができます。それでも、一種の睡眠障害を起こしていました。おしゃぶりが口に入っていないと眠れないのです。

夕方、床につくときは、このクセは別に問題になりません。でも、夜中は大きな問題です。ロバートくんは夜中に五～一〇回程度も目を覚まして泣きます。とくに夜中の十二時半以降は、一時間おきに泣くのです。お母さんはそのたびに起き上がり、子ども部屋に行ってロバートくんにおしゃぶりをくわえさせなくてはなりません。おしゃぶりさえ口の中に入っていれば、ロバートくんはすぐに眠ります。でも、お母さんのほうは目が冴えてしまいます。「ああ、もうすぐまた泣きはじめる」と思うとますます眠れなくなり、慢性的な睡眠不足に陥っているのです。

ロバートくんは、ひとりで寝つくことができず、お母さんの助けが必要になってしまっているのです。おしゃぶりを自分で口に入れることができないからです。ロバートくんはとても元気で健康な赤ちゃんですが、お母さんのほうは一日をどうやって乗りきればいいのかわからないほど疲れきっています。このケースでは、おしゃぶりが睡眠を妨げる唯一の原因です。おしゃぶりなしで眠ることさえ覚えればよいのです。

子どもは、親が心配するよりも簡単におしゃぶりの習慣を忘れるものです。どんなに「依存症」を起こしているように見えても、三日間がんばれば、おしゃぶりのことを忘れない子どもはまずいません。ロバートくんも、三日後には夜泣きをせずに一晩通して眠るようになりました。ちょっと声をあげることはあっても、ひとりでまた寝つけるようになりました。おしゃぶりの「代わり」に、お母さんはベビーベッドの中にふわふわした子ひつじの毛布を入れてあげました。

おしゃぶりがないと、親指をくわえはじめる子どももいます。でも、わたしたちの経験では、これはむしろ例外的なことです。

もちろん、おしゃぶりが安眠を妨害する唯一の要素になっているのは、珍しいケースでしょう。たいていの場合には、そのほかの「補助的要素」と組み合わさっています。

おしゃぶりの問題は子どもが一歳くらいになって、自分でおしゃぶりが口に入れられるようになれば自然解決するものです。赤ちゃんはおしゃぶりがベッドから落ちてしまった場合にだけ、あなたを呼ぶことになるでしょう。それも予備のおしゃぶりを何個か枕元にならべておけば解決します。

だっこしてもらえないと眠れない子ども

フェリックスくんの両親が相談にきたのは、フェリックスくんが月齢十三カ月のときでした。フェリックスくんは生後五カ月から八カ月のあいだは、ちゃんとひとりで一晩通して寝ていました。でも、八カ月のときに重い病気にかかってしまったのです。

そのときに、両親はフェリックスくんが寝つくまでだっこするというクセをつけてしまったのでした。フェリックスくんは病気が治った後も、だっこをしてもらわないと眠れなくなっていました。夜の就寝前には、十一～十五分間、お昼寝の前には三十分間のだっこが必要でした。

親にとってつらいのは、フェリックスくんが夜中に五回も六回も目を覚まして泣き、親の助けを求める点です。だっこさえしてあげればまた眠るのですが、ベッドに戻すタイミングを焦るとまた目を覚ましてしまいます。

どうも、「警戒」しているようなのです。そのため、夜中に合計二時間くらいだっこしていないと眠らないようになっていました。両親は夜中の子守りを交代するようにしていました。ふたりには、子どもに対する愛情も忍耐力もあふれるほどありました。でも、体力が続かなくなってしまったのです。

フェリックスくんには、だっこしなくてもネンネすることを思い出してもらわなくてはならない時機がきていました。もちろん、ロバートくんに比べ、フェリックスくんは失うものが大きかったので、その分だけ切り替えには時間がかかりました。

添い寝をしてもらわないと眠れない子ども

もうひとつ、とても普及している「寝つきをよくするコツ」があります。お母さんかお父さんが子どものベッドで横になり、寝つくまで一緒にいるか、あるいは子どもを親のベッドに入れるやり方です。

あるいは、ベビーベッドの横に寝そべって、手を握っている人もいます。これらの子どもはみんな、親がそばにいることを「必要」としているように見えます。

だっこすることに比べたら、親にとって添い寝はそれほど体力がいりません。でも子どもによっては、「特別の注文」をつけます。お母さんの髪の毛をいじる、背中をさすってもらう、あるいは一三一ページに出てくる四歳のリナちゃんのように、お母さんの口元かお父さんのひげをいじるといったクセです。このような子どもは夜中に目を覚ますと自分から親の布団に潜りこむか、親が自分のベッドに連れてきます。はじめからいつも親と一緒に寝ている子もいます。

ラリッサちゃんのケースは、ちょっと変わっていました。ラリッサちゃんはとてもよく眠る赤ちゃんだったのですが、二歳になったころからなぜか突然自分のベッドが嫌いになり、ベッドに近寄っただけで泣くようになったのです。

原因はお母さんにもわかりません。「こわいのかもしれない」と思い、子ども部屋に自分の布団を敷くことにしました。以来、ラリッサちゃんは、お母さんの隣で、この特別に敷いた布団で眠るようになりました。ラリッサちゃんが寝ついてから二十分後にお母さんは部屋を出るようにしていました。通常、ラリッサちゃんは夜中に二回ほど目を覚まし、お母さんを呼びます。お母さんは必ずラリッサちゃんのところに行き、この布団で横になり、ラリッサちゃんが寝つくのを待ちました。

このクセがついてから、何週間かが過ぎました。ラリッサちゃんのお母さんは、実は臨月を迎えていて、出産予定日までになんとかこの状態を変えなくてはならないと思い、相談にきました。でもそのときには、ラリッサちゃんはもうベビーベッドを嫌いではなくお母さんの助けも「必要」ではなくなっていたので、習慣の切り替えはすんなりいきました。

一方、変な習慣がしつこく直らないこともあるという例を示してくれたのが、マティアスくんです。マティアスくんは八歳ですが、毎晩お母さんが添い寝をして寝つくのを待っていました。その結果、マティアスくんは夜中に目が覚めると親のところにやってくるのです。

親が気づかない運のよい日には、マティアスくんはそのまま親のベッドで眠ることができました。でも、お母さんがマティアスくんに気づいて目を覚ますと、やはり邪魔に感じ、だっこ（！）をして子ども部屋に連れて帰っていました。

切り替えはとても簡単でした。マティアスくんのお母さんはマティアスくんに、これからは眠るまでの添い寝をしないと宣言しました。マティアスくんも納得しました。以来、もう親のベッドにやってくることもなくなりました。

夜中にミルクを飲まないと眠れない子ども

親がそばにいるだけでは寝つけない子どももたくさんいます。おっぱいか哺乳びんを欲しがるのです。このようなときには、ふたつのパターンが考えられます。

ひとつは、一晩のあいだに何本もの哺乳びんのお茶やミルクを飲み干すか、夜中に何度もおっぱいを飲むケース。これは夜中におなかが空いたりのどが渇いたりするクセがついています。あなたは夜中に飲んだり食べたりする子どものクセを徐々にやめさせなくてはなりません。

この特別なケースについては、一一〇ページの「夜中の授乳をやめよう」という項目でくわしく説明しました。

もうひとつは、おっぱいをしゃぶりたがるケース。ミルクを飲むのではなく、ただ口にくわえるだけです。飲むのは一口二口だけです。このような場合には、夜中におなかが空くのではなく、単にしゃぶることがクセになっているのです。

月齢六カ月のソニヤちゃんがそうでした。夕方はお母さんのおっぱいをくわえたまま寝つき、夜中には二度ほど目を覚ましておっぱいをもらってまたネンネしていました。別にたくさんのミルクを飲むわけではなく、ただ何度かしゃぶったり吸ったりした後にはすぐにまた眠りました。ソニヤちゃんには、お母さんのおっぱいをしゃぶらなくても寝つくことを覚えてもらいました。

複合型のクセがついている子ども

おっぱいや哺乳びんのうえに、もっと補助を必要とする子どももいます。

月齢七カ月のロンくんは、夜中に三〜四回おっぱいを飲んでいました。でもそれだけでは寝つくことができず、その後はお母さんに「だっこして歌って」もらえないと眠らないのでした。お父さんの歌声は、あまり気に入らないようでした。お父さんは、その代わり、家の中をだっこして歩きまわらなければなりませんでした。

月齢十カ月のヴェラちゃんは、毎晩、そして夜中にもやってもらわなくてはならないいくつかの儀式をクセにしていました。まず、ベッドの中で哺乳びんをくわえます。その後で、お母さんにおしゃぶりをもらい、お母さんの手を目の上にかざしてもらって寝つくのです。夜中にも、七〜九回くらいこれをやらないと眠りません。そのたびにヴェラちゃんは少しだけ哺乳びんのミルクを飲みます。夜の一時くらいになってから、ヴェラちゃんは親のベッドに移されます。添い寝をしないと泣きやまないからです。

これまで述べてきた就寝時のクセは、ほかにもあらゆる組み合わせが考えられます。すべてが安眠を妨害する就寝のクセです。すべてのクセは、似たような方法で直せます。

就寝時のクセを変えるには……

夜泣きをする子を抱えた親が一番よく受けるアドバイスは「放っておいたほうがいい」というものでしょう。

小児科医の多くも、このようなアドバイスをします。「引き離し療法」と呼ばれるもので、きちんとした学問的な根拠もあります。

親が夜中に赤ちゃんが泣くたびに愛情（哺乳びん、だっこなど）を示せば、泣くたびにごほうびが出てくるのと同じだというのです。子どもは「泣けば親はいうことをきいてくれる」と学んでしまいます。だから、ごほうびさえ出さなければいいというのです。泣いても目的が達せられなければ、泣いても無駄だとわかって泣くのをやめるというわけです。

昔の人は、このやり方を当たり前と思っていました。そのため、三十～四十年前までは、欧州では「夜泣き」はほとんど報告されていません。最近の調査でも「放置する」と泣かなくなることがわかっています。

でも、わたしたちは、このようなやり方はすすめません。

まず、この方法が効果的であるためには、数日間徹底して実施されなくてはなりません。つまり、子どもは泣き疲れて寝てしまうまで泣きつづけるのです。場合によっては、ひとりでベッドの中で泣きながら、世の中がどうかなってしまったのだと思うでしょう。

これまでは、泣けば誰かが助けてくれるものだと思っていました。初めて長いあいだひとりで放置されたりしたら、かつてない孤独感をおぼえ、親から離れることをこわがるようになりかねません。そんなことをしてはいけません。

もちろん、「放置する」やり方をやってみて、子どもの泣き声に耐えられず中断し、途方に暮れてしまう親もいます。

たいていの親は、赤ちゃんの泣き声に耐えられる時間は限られています。十分間、二十分間、三十分間あるいは六十分間も待って、ついにこのやり方が本当にいいかどうか夫婦げんかになります。そして、どちらかが我慢できなくなって子どもをだっこしてしまい、結局子どもが泣いてほしがっていたおしゃぶり、哺乳びん、だっこなどを与えてしまうことになり、クセを強めてしまう結果になることも珍しくありません。

こんな中途半端なことをやってしまうと、子どもは決してひとりで寝つくことを覚えません。親が自分の望むことをしてくれるまでできるだけ長く叫びつづけることを学ぶだけです。このやり方を何度かやって、待ち時間を延ばしては挫折を繰り返していると、子どもに二〜三時間でも泣きつづけるクセがついてしまい、親子ともどもかえって大変なことになってしまうのです。

「すやすやネンネ・トレーニング計画」を実行する

ひとりで寝つき、夜中に泣かずにすむようになるには

わたしたちのトレーニングは、米国ボストンのファーバー教授が児童睡眠センターで開発したやり方を参考にしたものです。

このやり方を用いたからといって、子どもたちがまったく抵抗しないわけではありません。でも、親が規則的にかまってあげることで、子どもがきりがないほど泣き叫ぶような事態は回避できます。そして、泣き叫ぶことによってわがままを通すことをおぼえることも避けられます。そのため、泣き叫ぶことをかなり早くからやめるようになるでしょう。

たいていの親は、この計画表に従えば、最後までトレーニングを続けることができます。子

どもは数日以内に夜泣きをやめるようになるのです。

すやすやネンネ・トレーニング計画の手順

❶まず、食事と睡眠の時間帯を決めます。そして、あなたは規則的に、あらかじめ決めた時間に必ず子どもをベッドに入れるのです。規則正しい時間に就寝するということは、寝つきをよくする大事な要素です。

❷これまで子どもが眠る前に、あなたがやっていた「手助け」は、これからはいっさいやめます。だっこ、おっぱい、哺乳びんなど、赤ちゃんがこれまで寝る前に必要としていたものは、これからははっきりと「ネンネ」という行為と区別し、遅くとも就寝の三十分前に与えるようにしてください。

❸就寝前の数分間、和やかなひとときを子どもと一緒に過ごしてください。そして、目が覚めているうちに子どもをベッドに入れ、おやすみなさいの挨拶をして、子ども部屋を出るようにしてください。

赤ちゃんにとっては、ひとりで目が覚めたままベッドに寝ているのは初めてのことでしょう。たぶん、泣きはじめるでしょう。泣けば、これまで慣れていたネンネの環境をあなたが整えてくれると思っているからです。

でも、それをしてはいけません。あなたは、あらかじめ決めたタイムプランに従って、まず数分間待ってから子どものもとへ戻ります。

われわれの経験では、たいていの親は三分間なら子どもを泣かせていても耐えられるようです。ですから、わたしたちのプランは三分間からスタートします。

時計を見ながら行動してください。勘を頼りにすると、最初の数分間が非常に長く感じられるでしょうから。その間、子ども部屋のドアを閉じていてもかまいません。

❹三分間たっても子どもがまだ泣いているようなら、あなたは子ども部屋に戻り、一、二分間は子どものそばにいます。静かなしっかりとした声で子どもに話しかけ、なぐさめ、なでてあげてもいいでしょう。ベッドの中で立っているようなら、また横になるようにすすめます。だっこをしたり、おしゃぶりや哺乳びんをあげてはいけません。そして、子どもがあなたが部屋にいるときに寝てしまうのもだめです。

ここで練習するのは、「**ひとりでネンネしてもこわいことはないから大丈夫。お母さん（お父さん）はここにいるよ。ひとりでネンネするのをおぼえてね**」ということです。

多くの親はこうやって思いを口にして赤ちゃんに語りかけると、心理的にラクになります。赤ちゃんは、親のしっかりした静かな声を聞いて、親の決意の固いこと、親の愛情と温かさなどを感じ取るでしょう。言葉の意味がわからなくても、親の気持ちは伝わります。

子どもによっては、親がそばに寄ると、かえって興奮して怒りはじめることがあります。そんなときには、とくに長いあいだ子どものそばにいる必要はありません。子どもが怒っていればいるほど、親が子どものそばにいる時間を短縮することを原則にしてください。でも、放置しているわけではないということを知らせるために、何度でも部屋に入ってかまいません。

❺子どもが落ち着きを取り戻そうが、泣きつづけようが、遅くとも二分後にはあなたは部屋を出て、また時計を見てください。今度は、外で待っている時間を少し延ばし（われわれの例では五分間）、所定の時間が過ぎたらまた子どものそばに行って、すべて大丈夫であることを伝えてあげてください。また、先ほど説明したとおりに行動します。そして一、二分したらまた部屋を出て、決められた時間を外で待ちます。待ち時間は七分間まで延ばします。

❻それでも子どもが寝ないようだったら、今度は七分おきに子どものそばへ行き、親がそばにいることを示してやってください。そして、子どもがひとりで寝つくまで、これを繰り返してください。

夕方も、昼寝も、夜中に目が覚めたときにも、初日は三分間でスタートして、最大七分間隔で子どものそばに行くようにしてください。

❼二日めには、五分間の待ち時間でスタートし、九分間まで延ばしたら、九分間隔で子ども部屋に入るようにしてください。二日めは子どもがひとりで寝つくまで九分間隔で様子を見にいくことを繰り返します。三日めには七分間でスタートし、十分間隔まで延ばしていってください。ここまできたら、間隔を十分間以上に延ばさないように気をつけましょう。

子どものそばに行くのは、子どもが本当に泣いているときだけにします。ちょっと泣き声をあげたり、駄々をこねたりしているだけなら、そのうち自分ひとりで落ち着きを取り戻す可能性が非常に高いのです。本格的にわあわあ泣き出すまで様子を見たほうがよいでしょう。

※健康なお子さんに対するトレーニングです。また、泣いてベッドなどから落ちたりしないように十分気をつけてください。

このやり方をすると、子どもは「泣いてもあんまり意味ないや」と思うようになります。泣いても、自分が期待したような手助けはしてもらえず、お父さんとお母さんが短時間自分のところにきてなぐさめてくれるだけだからです。いつも規則的に、適切な時間にベッドに入れられているかぎりは、同時にとても眠くなるはずです。

そのため、非常に早い段階で気づくのです。「がんばって泣いてみても、結果は大したことないや。ちょっとなぐさめてもらうだけなら、がんばってもつまらない。寝たほうがよっぽどいい」と。子どもは慣れた環境を整えてほしいと思って泣くわけですが、長時間続くと**いずれ眠けには勝てなくなります**。

待ち時間をしだいに長くしていくことには、「泣く時間を延ばしたところで、結果は同じなんだ。お父さんもお母さんも自分が長いこと泣いたからって、思いどおりにはならない」ということを学ぶ効果があります。

同時に、もうひとつ重要なことをおぼえます。最後にひとりで寝つくたびに、子どもは最終目標に少しずつ近づくのです。ひとりでベッドで寝つくという感覚に慣れていくのです。しだいに、ひとりで寝るのを普通のこととして受け入れるようになります。

数日もすれば、それまで手助けを必要とした寝つき方から、ひとりで寝つくことへと切り替わっていきます。もちろん子どもは今後も夜中に目を覚ますでしょう。でも、「ひとりでベッドの中にいる」ということが「普通」で「大丈夫」だと判断するようになるので、アラームが鳴りっぱなしの状態にはならずにすみ、親の力を借りなくても、またひとりで寝つくことができるようになるのです。

日中、子どもをベッドに入れても一時間以上も寝つかない場合には、ベッドから出して次のネンネの時間まで起こしておくようにしてみてください。「起こしているとき」は、あなたもとても疲れるかもしれません。子どもはぐずったり、あるいは遊びながら寝てしまうかもしれませんそんなときには、布団をかけてやり、三十分間程度眠らせてもいいでしょう。何しろひとりで誰の力も借りずに寝ることができたのですから。

大切なことは、子どもを日中でも、朝でも、いつも同じ時間に起こすことです。その前の起きている時間が仮に長かったとしても、起こす時間はずらさないでください。睡眠不足を寝坊で挽回する機会をつくると、とても不規則なリズムがついてしまいます。

最初の二日間は、親子にとって「とても大変になる」という覚悟が必要です。子どもにとっては、生まれて初めてひとりでベッドで寝つくことになるのです。その事実にどれだけのエネルギーを投入して抵抗するかは、赤ちゃんの性質やこれまでの経験によります。ですから、わたしたちのトレーニング計画に対する反応は、子どもによってさまざまです。

子どもによっては、十五分間以上泣きつづけることなど一度もなく、二~三日ですっかり夜泣きが止まり、新しい習慣を身につけます。また、最初の日には一~二時間あるいはそれ以上泣いてからやっと寝つくので、その間にお父さんやお母さんが一〇回以上もなぐさめるためにそばにより、「そばにいるから大丈夫だよ」といってあげなくてはならない子どももいます。

でも、この計画に徹底して従って三日間がんばれば、大半のケースで状況が大幅に改善するか、問題が解決するでしょう。

子どもは幸い、おとなよりも新しい習慣を身につけるのに時間がかかりません。一週間以上かかるのは珍しいことです。二週間以上かかるのはとても例外的なケースです。ほとんどの子どもは二週間後には、ひとりで寝つき夜泣きもしなくなります。

トレーニング計画のバリエーション

図表4に掲げた待ち時間は、わたしたちが考え、これまでに充分な実績をあげているものです。たいていの親は、このプランどおりに行動しても問題を感じません。でも、トレーニングを始める前に、次のようにタイムプランを変更してもかまいません。「表のとおりの待ち時間では長すぎる」と感じるのであれば、書いてある時間をすべて二分間短縮しても大丈夫です。初日は五分間まで延ばしたら、それ以上長く待つ必要もありません。子どもをひとりにする時間が五〜六分間を超えなくても、時間をかければ充分に目標は達成できます。

また、親がそばによるとかえって興奮し怒ってしまう子どもには、待ち時間をプランよりも少し長めに設定しましょう。このやり方を開発したファーバー教授は、実はここに掲げた待ち時間よりもずっと長い間隔をすすめています。

	1回め	2回め	3回め	4回め
初日	3分	5分	7分	7分
2日め	5分	7分	9分	9分
3日め	7分	9分	10分	10分
4日め以後	10分	10分	10分	10分

図表4　子どものそばに行く前に待たせる時間

成功するか否かは、時間の長さにあまり関係はありません。大事なのは、あなたが自信をもって有意義だと思い、タイムプランを徹底して遂行することです。

一度トレーニングを始めたら、タイムプランは変更しないほうがいいでしょう。固定的なタイムプランは強引だと思うかもしれませんが、実地では次にすべきことをわかっていたほうが、筋の通った行動がとりやすいでしょう。目標をめざして、安定した行動をとることを保証されていることになります。

子どももあなたの安定感を感じ取るでしょう。そうすると、あなたの不安や優柔不断を感じ取ったときに比べて、古い習慣をめぐる闘いを早い段階であきらめるものです。

原則的には、わたしたちはみなさんにはじめから夜間も日中もこのプランどおりに行動することをすすめています。昼寝のとき、夜の就寝時、そして、夜中に目が覚めるたびに。毎回結局はひとりで寝つくことになるので、「ベッドにひとりで寝かされている」という状態になじむのも早く、学習効果が高まります。

でも、親によっては、昼間も夜中もいきなりこのプログラムを実行するのはつらいと感じる人もいます。そんなときには、このプランをふたつのステップに分割することができます。

第一のステップでは、お昼寝と夜の就寝時にこのプランを適用します。夜中に目を覚ます場合には、これまでどおり手助けをします。待ち時間も入れず、即座に。それだけでも、夜泣きが軽くなることはよくあることです。

日中も夜もちゃんとひとりで眠れるようになったのに、夜中には何度も目を覚ますという子どももよくいます。そんなときには第二ステップとして、夜間にもプランを適用すればよいのです。もちろん、ふたつのステップに分けた場合は、子どもが夜泣きをしなくなるまで多少時間がかかるようになるでしょう。

トレーニングの成果をどうやって確認するか

睡眠記録をとる

規則的な睡眠時間の決め方を説明した第2章で、二十四時間表の睡眠記録について紹介しました。子どもの就寝の習慣を先ほど説明したやり方で切り替えたいと思ったら、睡眠記録はとても役に立ちます。記録用紙には睡眠時間だけでなく、泣いている時間や授乳の時間も記入すると、進歩を確認することができます。

図表5は八七ページで紹介した複合型のクセのついているヴェラちゃんの睡眠記録です。トレーニングを始める前のヴェラちゃんの就寝パターンは、哺乳びん、おしゃぶり、手を目の上にかざす、そして親のベッドに連れてくるといった複雑な手順を踏まなくてはならないものでした。しかも、夜中にもこのようなことが七〜九回繰り返されました。ヴェラちゃんは寝つきも悪く、眠りに落ちるまで二時間かかっていました。夜中には一時間は目を覚ましています。毎日少なくとも一時間は睡眠が不足していました。

ヴェラちゃんは大変多くのクセを忘れなくてはいけませんでした。両親は、ヴェラちゃんがとても意思の強い子どもであることを知っています。ですから、ヴェラちゃんが相当抵抗するだろうと覚悟していました。

そこで、お父さんはお母さんをサポートできるよう、お父さんの勤務が早番の週を選びました。ヴェラちゃんのベビーベッドは夫婦の寝室に置いてあったので、夫婦はトレーニングの最初の二日間はリビングルームで寝る覚悟をしました。

いよいよネンネの時間になりましたが、ヴェラちゃんにはおしゃぶりも哺乳びんもあげません。ヴェラちゃんが寝つくまで添い寝をすることもしなければ、親のベッドに連れてくること

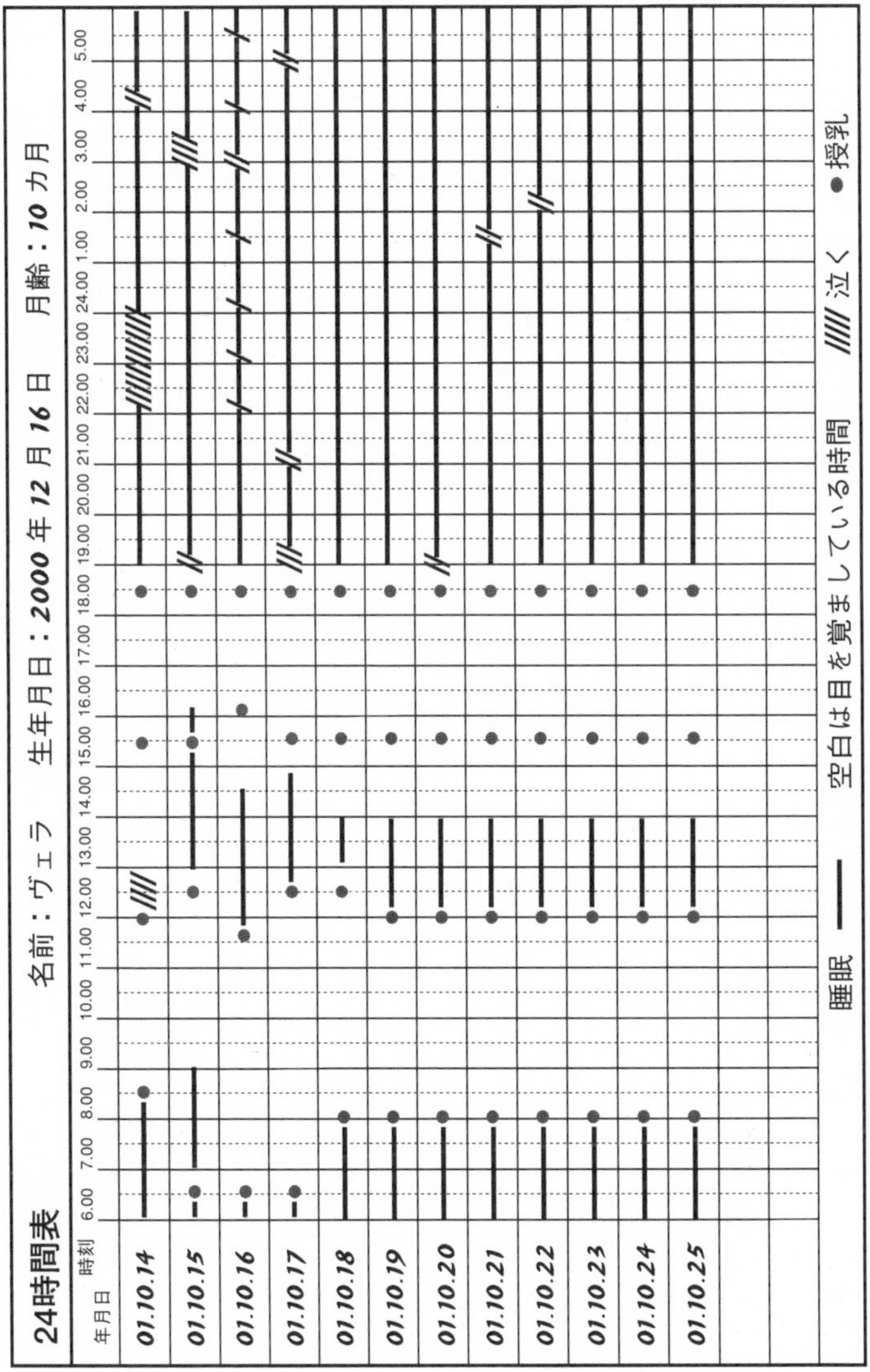

図表5　ヴェラちゃんの睡眠記録

もしません。

予想どおり、初日は大変な騒ぎとなりました。昼寝はヴェラちゃんが寝つくことに一時間以上も抵抗したため、その後はベッドから出すことになり、計画は取りやめになりました。ヴェラちゃんはその後とても疲れてぐずつき、親もとても疲れました。でも夜の就寝時には、疲れのあまり、抵抗することもなくひとりですぐにベッドで寝てしまいました。

熟睡した後、目を覚ましたヴェラちゃんは大変でした。ベッドの中で立ち上がり、怒って興奮していました。お父さんが部屋に入っていってなぐさめようとすると、いっそう叫び声が甲高くなりました。ベッドに寝かしても、すぐに立ち上がってしまいます。それでも、お父さんは根気よく「お父さんもお母さんもそばにいるから大丈夫だよ」というために部屋に入り、ヴェラちゃんのそばへ行きました。その晩はヴェラちゃんが寝つくまで八回、部屋に入りました。

しだいに、ベッドで立ち上がることはなくなり、本格的に泣きはじめるまでの間隔が長くなっていきました。静かに泣いているときや、声を出さないあいだは、お父さんは静かに部屋の外で待ち、そばへは行きませんでした。

ヴェラちゃんのお母さんは、その間、お父さんと相談してヘッドホンで音楽を聴くことにしました。最初の数時間に耐えられるかどうか自信がなかったからです。

次の四時間は、ヴェラちゃんは目を覚ますことなく眠りました。それまで夜の十一時以降は必ず一時間おきに目を覚ましていたヴェラちゃんには、これはとても変わったリズムでした。朝の四時と六時にも目を覚ましましたが、今度はお父さんが一回そばへ行くだけで落ち着きを取り戻しました。図表5を見ていただいてもわかるように、二日めからは昼寝のときにはまったくスムーズにいくようになっていました。

ヴェラちゃん同様、たいていの子どもは日中の切り替えは比較的簡単に受け入れられるようです。三日めのグラフは、典型的な経過を示しています。ヴェラちゃんは、以前と同じように夜中に目を覚ましましたが、ちょっと泣き声をあげただけで、誰もそばに来なくても、ひとりで寝つくようになっていたのです。

五日めから、ヴェラちゃんはときどき少しだけ声をあげることはあっても、一度も起きずに眠るようになりました。睡眠時間は平均十時間から十四時間に増えました。

八カ月後の検診では、このトレーニングがその後も成功したことが裏づけられました。ヴェラちゃんは、お気に入りの小さな枕さえあれば、五～十分以内にはひとりで寝つくようになっており、夜は十一時間半通して眠り、昼寝も二時間半も眠るようになっていました。

トレーニングでどんな問題が起きることがあるのか

ヴェラちゃんのように切り替えが大変な子どもばかりではありません。この章のはじめに出てきたロバートくんは、おしゃぶりがないと眠れず、またラリッサちゃんはお母さんと一緒にベッド外の布団で横にならなければ眠れませんでしたが、ふたりとも、初日から十五分以上泣くことはありませんでした。ふたりとも三日めには夜泣きをしなくなっていました。

切り替えがあまりにも簡単に成功すると、親はキツネにつままれたような気分になり、「これだけで夜泣きが直ってしまったんですか」と聞いてきます。生活の改善がこんなに簡単にできるものとはまったく考えていなかったのでしょう。

でも、円滑な経過をたどるかどうかは、予想することも保証することもできないことなのです。頑固な子どもは長時間にわたって泣き叫んだりします。

「おっぱい」「だっこ」「お母さんの歌」という組み合わせをあきらめなくてはならなかったロンくんは、八日めになるまで事態は少しも改善しませんでした。月齢十一カ月のヤニーナちゃんは、一晩通して眠るまではあまり時間はかかりませんでしたが、三週間は寝つく前数分のあいだ泣いていました。

また、興奮すると吐いてしまう子もいます。激しく泣いたりしたときに子どもが吐く可能性があるかどうかは、たいていの親はわかっているはずです。びっくりはしますが、これは決して何かの異常を示す行為ではありません。このような子どもは、切り替え中にも吐くことがあります。

そんなとき親は即座に子どものそばへ行きちゃんときれいにしてやりますが、「吐いた」ことを特別扱いはせずに、そのままトレーニングを続行すべきです。予想された「嘔吐」に落ち着いて手際よく対応をすれば、子どもの切り替えをサポートすることになります。

実は夜中のだっこグセを直そうと思ったフェリックスくん（八二ページ参照）がそうでした。五分間ほど泣いた後、フェリックスくんは嘔吐し、それから五分ほどしてもう一度吐きました。予想されたことだったので、はじめに計画していたとおり、お母さんはとくに騒がずにフェリックスくんを着替えさせ、ベッドの中のシーツを替えてあげました。そしてそのままフェリックスくんのそばに行ったり、外で待ったりすることを計画どおり続けたのです。フェリックスくんはその後一度も吐きませんでした。そして数日以内に、夜も続けて眠れるようになりました。

月齢十二カ月のパスカルくんは、もう少し頑固でした。これまでパスカルくんは、日常、「泣いてだめでも吐けば絶対うまくいく」という体験を重ねてきました。すでに指をのどの奥に突っ込んで、好きなときに嘔吐できるようになっています。嘔吐すれば、親が言いなりになってくれるというパターンができあがっていました。

パスカルくんのお母さんは、添い寝をやめたいと思ってトレーニングを始めました。パスカルくんは初日の夜には興奮し、怒って、指を五回ものどに突っ込んでは吐きました。昼寝のときも同じでした。

お母さんも、セラピストも、意思が揺らぎはじめた三日めに、やっと吐くのをやめました。そして五日めにはちゃんと一晩通して眠ることができるようになりました。

嘔吐を意図的に行い、親を自分の言いなりにするための手段にしていたパスカルくんは、今回もう一度これで成功していたなら、これからもこのやり方でわがままを通そうとするクセが直らなかったでしょう。でも今回、「吐いてもお母さんは僕のところに来て、僕に着替えをさせてくれるだけだ。一緒に横になってはくれない」という体験をしたのです。

そこで、ある日ひとりで眠る決心をし、数日後にはすっかりこの新しいやり方に慣れたのでした。お母さんは一晩中そばにいなくてもよくなり、一年ぶりに夜仕事を片づけることができるようになりました。そして、パスカルくんはこの日以来、お父さんやおばあちゃんにもネンネをさせてもらえるようになったのです。

パスカルくんは極端な例です。パスカルくん親子にとって、切り替えは精神的にとても大変なことでした。でも、相談にきた時点でお母さんもすでにかなり精神的にめいっていました。

そのため、パスカルくんにも悪影響が出ていました。お母さん自身、このままでは絶対いけないので、状況を何としてでも変えなくてはならないと思っていました。だからこそ、がんばって初志を貫徹することができたのです。

たいていの場合は、睡眠パターンの切り替えはこれほど大変にはなりません。それでも、最初の二〜三日は、家族全員に大変な心理的負担がかかることを覚悟しましょう。

難しい状況が発生しても、めげてしまわないためのヒントをいくつか挙げておきます。

計画実行のヒント

●トレーニングには、できるだけよいタイミングを見つけること。旅行や帰省の予定がある場合には、その二週間前にはスタートすること。旅行でリズムが狂ってまた元に戻ってしまうこともあります。

●トレーニング中にお父さんとお母さんが交代してもまったくかまいませんが、一夜のあいだに交代するのはよくありません。そして、なによりも夫婦の意見が一致していることも大切です。トレーニングを中断するようなことにならないためにも、どちらのほうが決意が固いか、あらかじめ確認しておいてください。決意の固いほうの親が最初の二日間を担当するといいでしょう。そのとき、「お母さんのほうがいいよぉ」などといった子どもの好き嫌いに左右されるのはやめましょう。

●トレーニングをスタートするときに、子どもを夫婦の寝室から子ども部屋に移すなど、寝場所をこれまでと違うところに移すというやり方は区切りをつけるうえで効果があります。家が狭くてベビーベッドが夫婦の寝室に置いてあるときには、いくつかの方法が考えられます。ひとつは、両親が何日間は別の部屋で寝るという方法です。子どもが夜泣きをしなくなったら、また寝室に戻ればいいのです。

また、子どものベッドをしばらく別の部屋に移すという方法もあります。子どもの環境は変化しますが、赤ちゃんならそれが問題になることはありません。それが無理なら、ベビーベッドの位置を変えたり、親と視線が合わないようにカーテンをつけることで、ベビーベッドが夫婦の寝室にあっても、このプランを実行することができます。でも、同じ部屋で寝起きしている場合は、親にはより強い意思が必要です。

●同じ部屋に兄弟が寝ている場合も、切り替えはちょっと難しくなります。できれば兄弟を数日間別の部屋に移します。それが無理なら、赤ちゃんの泣き声で兄弟が目を覚ますことになりますが、あきらめず、計画どおりに行動することをおすすめします。

●トレーニングを始める前に、待ち時間をどんなふうに延ばすつもりか、あらかじめ考えておいてください。一分間からスタートして、最高六分間に延ばすのか、三分間から始めて最高で十分間にするのか。トレーニングは夜だけにするつもりか、それとも日中も夜間も同時に始めるのか。

●トレーニング中に子どもが病気になったら（熱が出たり、強い痛みを感じたり）、即座にトレーニングは中断します。病気の子どもが寝つかなかったり泣いたりしても、それは習慣のせいではありません。子どもがあなたの助けを求めたら、迷うことなくすぐに助けてあげてください。

子どもが元気になったら、様子を見てトレーニングを再開します。子どもがしばらく熟睡できるようになっていたのに、病気がきっかけで夜泣きが始まった場合も同じです。子どもによっては、トレーニングを何度か繰り返さなくてはならなくなることもあります。それでも学習速度は、毎回速くなっていくはずです。

環境が完全に整っていなければ、あなた自身で工夫が必要です。あるお母さんは、お父さんが出張に出かけるのを待ってトレーニングを始めました。誰にも邪魔されずにひとりのときにトレーニングをして、夫が帰ってきたときには赤ちゃんがちゃんと眠れるようになっているのがベストと考えたのです。

また、ある夫婦は、こんな変わったアイデアを実行しました。お父さんはトレーニングをひとりで実行する決意をし、気の弱いお母さんはその間寝室にこもり、赤ちゃんが寝つくまでは外からお父さんに鍵をかけてもらったのでした。

夜中の授乳という習慣

夜中の授乳をやめよう

夕方、ネンネの前におっぱいをあげたり、哺乳びんをもたせて寝つかせる方法は、かなり一般的です。新生児のうちは、自然にそうなることが多いでしょう。ですから、多くの人がこの習慣をそのまま続けてしまうのも、ごく自然なことです。

赤ちゃんがおっぱいを飲みながら、安心して、ぐっすりと寝ついてくれるのを見たり感じたりするのは、とても素敵なことです。翌朝までそのまま通して眠ってくれるのなら、このやり方をやめる理由などひとつもありません。

でも、あなたの赤ちゃんが夜中に何度も目を覚まし、ミルクを飲まなければ再び寝つけないのであれば、この就寝時の授乳は「やめたほうがいい」習慣なのです。夜中の安眠を妨げる原因をつくり、赤ちゃんが一晩通して眠ることを妨げています。ですから、おっぱいも哺乳びんも、日中であっても、ネンネとは無関係なものにしたほうがよいでしょう。就寝の少なくとも三十分前にすませておくようにするのです。

夜中の授乳は、子どもの睡眠をもうひとつ別の面で妨害します。飲む量が多ければ、おむつも濡れます。赤ちゃんが夜中にお茶や水だけでなく、ミルクやオートミールをとるのであれば、胃腸も夜中に働かなくてはなりません。身体全体の「睡眠モード」への切り替えが妨害されてしまうのです。

生まれて五～六カ月を過ぎた赤ちゃんは、本当はもう夜中の授乳を必要としていません。夜中に飲む量が少なかったり、おっぱいをしゃぶっているだけなら、いきなり夜中のミルクをやめて、先ほど説明したトレーニングを始めてしまってもかまいません。

また、子どもが二歳を過ぎていても同じです。二歳を過ぎているのなら、夜中に何本もの哺乳びんを飲む習慣がついていても、いきなりやめさせてしまっても害にはなりません。

もちろん、最初の何日かは長年の習慣で夜中にのどが渇いたり、おなかが空いたりするかもしれません。でも、この年齢であれば、一～三日のうちに食習慣を変え、日中に水分を充分に補給することができます。

夜中にとても多くの水分や、栄養価の高いオートミールなどの食事を食べる習慣がついているもっと小さな子どもは、徐々に量を減らしていく必要があります。一週間かけて、夜中の水分摂取をゼロに引き下げることを目標にします。

そのやり方は、次のとおりです。

夜中の授乳をやめる方法

●母乳の場合

おっぱいと就寝を切り離します。そして夜中の授乳時間は、時計を見ながら毎回一分ずつ短縮していくのです。同時に、夜中の授乳間隔を広げていきます。昼間のうちに、子どもにいつ授乳するのか時間を決めます。

赤ちゃんがその時間の前に泣きはじめるようなら、九一ページ以降に解説したトレーニング計画に従ってなぐさめます。ただしおっぱいを飲ませている時間を三分間以下に短縮することは、不満を残し逆効果になるのでやめましょう。三分間まで切り詰めたら、それ以上短縮するのはやめます。

●哺乳びんでミルクを飲んでいる場合

母乳と似たようなやり方をしますが、この場合は飲ませている時間を短縮するのではなくて、哺乳びんに入れるミルクの量を毎回一〇~二〇ミリリットルずつ減らし、同時に、哺乳びんを出してあげる間隔を広げます。哺乳びんに入れておく量がとても少なくなったら、哺乳びんそのものをやめてしまいます。

早朝の五時や六時の授乳は、子どもがその後とてもよく眠ってくれるので「やめたくない」と思うお母さんもいるでしょう。当事者全員がそれでもいいのなら、やめる必要はありません。でも、この早朝の授乳をやめても、子どもは熟睡できるものです。
また、気づかないうちに夜中の授乳がクセになることがあります。

月齢十カ月のティルくんの場合は、夜中の授乳は哺乳びん一本という、あまり気にならないレベルで始まりました。でも数週間後には、ティルくんは夜中に哺乳びんを九本も空っぽにするようになっていました。飲む量は総量一リットルを超えています。全部飲み干すので、夜中に何度もおむつを替えなくてはなりません。

二歳近くになったアンドレアスくんの例もあります。お母さんが相談にくるまで、アンドレアスくんはいつもお母さんのおっぱいを飲みながら寝ついていました。そして、夜中には三～五回の授乳を必要としていました。お母さんはしだいにしびれを切らし、腹を立てながらいやいや授乳するようになっていました。
断乳しようと思うたびに、子どもは泣き叫んだり、嘔吐したりします。お母さんはなんだか子どもに脅迫され、利用されているような気分になっていました。これではとても授乳が平和なものにはなりません。本人は「胸を子どもの口に突っ込んでやるんです」という言い方をしていました。もう子どもなんてたくさんと思うようになり、万一次の子どもが生まれたら、もう絶対におっぱいはあげないといっていました。

でも、アンドレアスくんがひとりで自分のベッドで、おっぱいなしでも寝つけるということにはまったく気づいていません。

このケースでは、母子の関係はすでにこじれていました。ですから、慎重に行動する必要がありました。三日間のトレーニングの後、アンドレアスくんは泣いて抵抗することはなくなり、おっぱいがもらえなくても、お母さんさえベッドの横に座り手を握ってあげるだけで満足して眠るようになりました。それでもお母さんにとっては大進歩です。

月齢十五カ月のサブリナちゃんも極端な例です。

サブリナちゃんは「食の細い子」です。体重は持続的に増えてはいましたが、いつも平均値の下限すれすれでした。サブリナちゃんの両親は、サブリナちゃんは半分眠っていてうつらうつらしているときに、一番よく哺乳びんのミルクを飲むということに気づきました。

そこで、哺乳びんの乳首の穴を大きくし、濃いオートミールを入れることにしました。サブリナちゃんは毎晩夜中に一リットルものオートミールを、四～五本の哺乳びんに分けて飲み干しました。そして、夜中に一〇回ほど目を覚ましました。満腹であることが、実は睡眠のリズムを崩してしまったのです。日中はもちろん何も食べません。「食が細い」という親の先入観は、ますます固定していきました。

夜泣きの相談に訪れたサブリナちゃんの両親は「子どもが夜のオートミールをやめれば、日中もっと食べるようになる」とわたしたちがいっても、信じませんでした。両親は「うちの子はこれが必要なんです」といいました。

それでもよく話し合って、やはり夜間の食事の量を減らすことにしました。そしてトレーニングの結果、夜中に一回目を覚まして二〇〇ccの哺乳びんを一本だけ飲むようになりました。これでサブリナちゃんのご両親も安心しました。

また、月齢十一カ月のレナちゃんの例を参考にしていただければ、少なくとも五回の夜中の授乳をどのようにやめることができるか、わかっていただけると思います。

お母さんは、相談に訪れる前に、過去十二日間の様子を二十四時間表につけました（図表6）。お母さんは、授乳のとき、自分のベッドでレナちゃんに授乳していました。レナちゃんはいつ

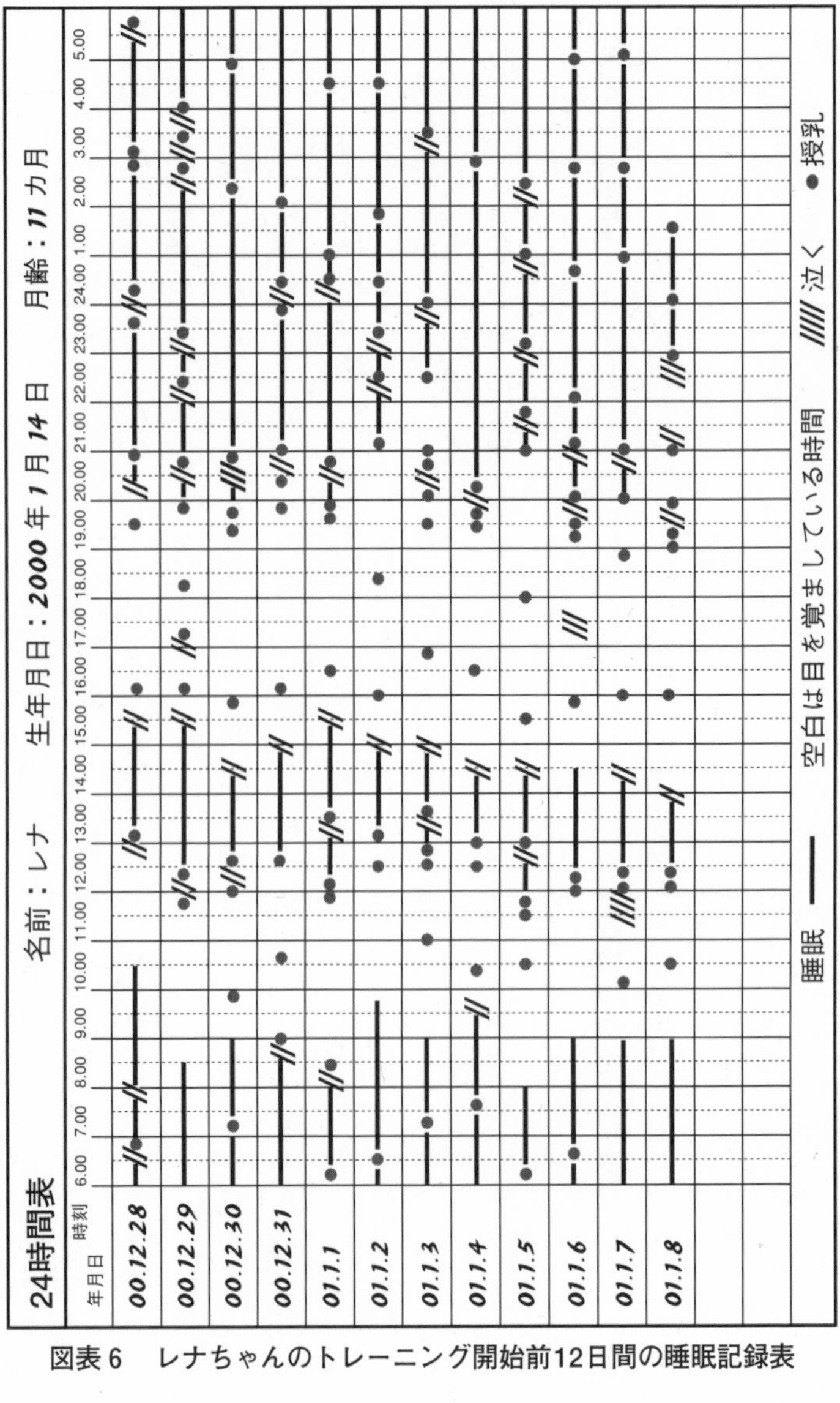

図表6　レナちゃんのトレーニング開始前12日間の睡眠記録表

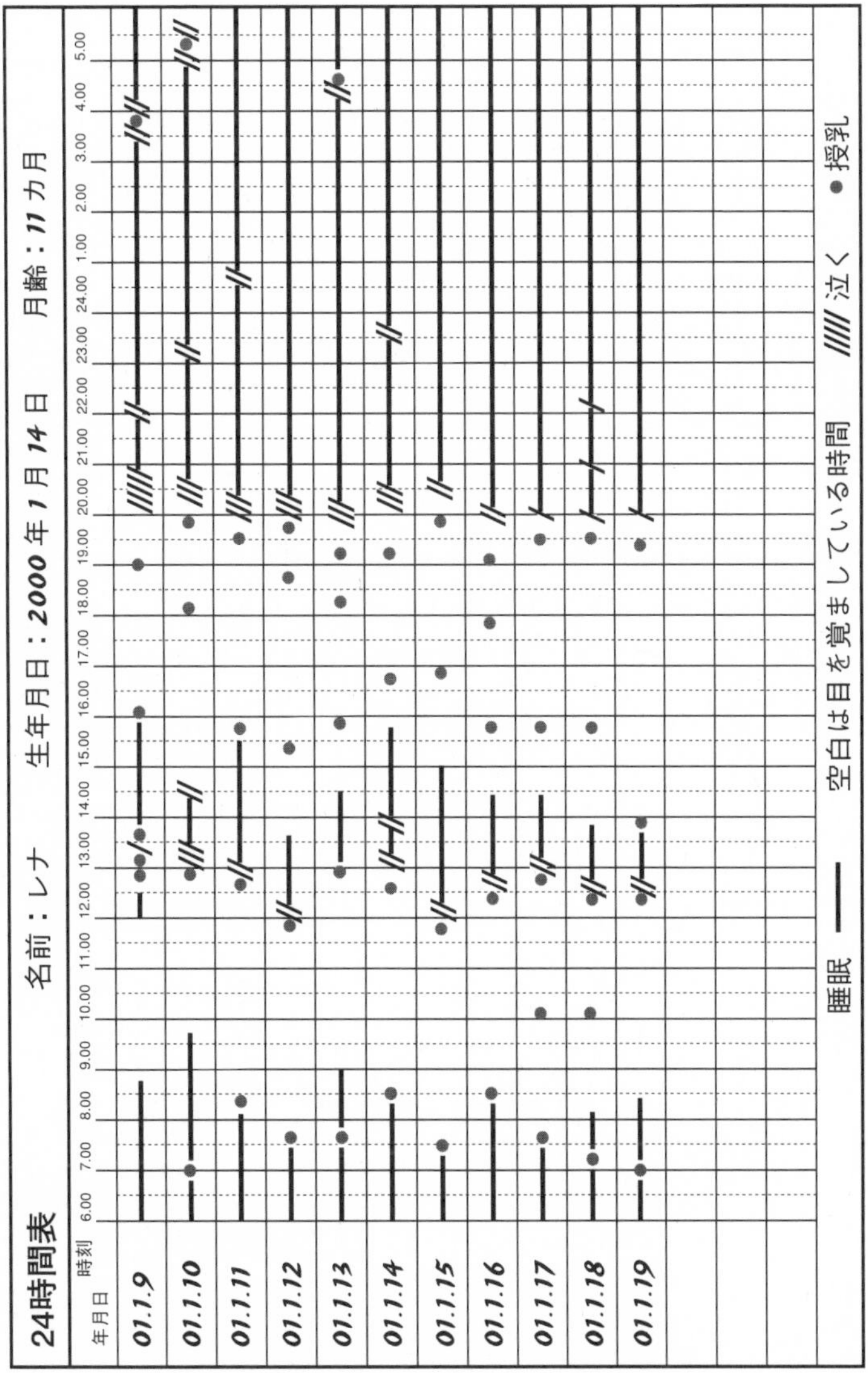

図表7　トレーニング開始後の睡眠記録表

もお母さんのベッドで寝ており、日中だろうとおっぱいなしでは寝つかないので、昼寝のときも夕方の就寝時でも、お母さんが一緒に横にならなくてはなりませんでした。授乳時間はグレーの●印です。

相談した日の夜、レナちゃんは生まれて初めてひとりでベビーベッドに寝かされました。トレーニング開始後の様子は、図表7の睡眠記録です。初日はレナちゃんが寝つくまでに一時間近くかかりました。レナちゃんが眠ってから一時間後に、お母さんが様子を見に子ども部屋に忍んで入ったときには目を覚ましましたが、このときは数分間しか泣きませんでした。その後、レナちゃんは五時間眠りました。こんなに続けて長い時間眠ったのはめったにないことでした。

朝四時に目を覚ましたレナちゃんは、目を覚ましたらすぐにおっぱいを飲みました。二日と五日めも、夜中に一回授乳しました。夜の就寝時はその後もしばらくは泣いていましたが、六日めからは夜中の授乳は完全にいらなくなり、ちょっと声をあげることはあっても、一晩通して眠ることができるようになりました。

子どもが起きだしてくるクセを直すには

子どもが親のベッドで眠るべきか否かは、すでに第2章で考えてみましたね。子どもが自分でベビーベッドから出てくることができれば、起きだして親のベッドに潜り込み、そこで眠ると主張し、それが寝つくときのクセになることもあります。家の誰もそのことが苦にならないのなら、こんな習慣をやめる必要はないでしょう。

でも、あなたがこのような状況を負担に感じたり、苦にしているのなら、子どももそのことを感じ取っているでしょう。責任をもって習慣を変える決意をするかしないかは、親自身が決めなくてはならないことです。

ベビーベッドに連れ戻す方法

カロラちゃんのお母さんが相談に訪れたのは、カロラちゃんが四歳のときです。三歳になるまで、カロラちゃんの睡眠にはまったく問題ありませんでした。長く、深く、よく眠る子どもで、自分のベッドでちゃんと眠り、夜もたいていは一晩通して眠っていました。

一年半前に、カロラちゃんはお父さんと一緒に十日間の休暇旅行に出かけました。休暇中、カロラちゃんはお父さんのベッドで眠りました。以来家に帰ってきてからも、このクセが直らなくなってしまったのです。

夜の就寝時には、まったく問題なく自分のベッドで寝つきます。でも一度熟睡した後、夜十時から十一時のあいだには目を覚まし、夫婦のベッドに潜り込みます。お父さんはあまり苦にしていませんが、お母さんは負担に感じていました。子どもの寝相が気になり、熟睡できず、また夫とふたりきりの時間がなくなってしまったことを最も苦にしていました。

そのため数週間前から親のベッドに入ってきた娘を、自分のベッドに連れ戻しました。毎晩六〜一〇回くらい根気よくやってみましたが、そのたびにカロラちゃんは親のベッドに戻ってきました。お母さんは、何日めかには根負けしました。カロラちゃんは毎晩しっかりお父さんの横で眠るのです。子どもが自分のいうことをきかないことに、お母さんはいらだちをおぼえました。夫が少しも自分をサポートしてくれないことにも非常に強い不満を抱いていました。お母さんは自信喪失に陥り、夫婦関係にも負担がかかり始めていました。でも、かなり神経がめいっていたにもかかわらず、お母さんはこの習慣を変えることに成功しました。

まず、夫と真剣に話をしました。現在のような状況がいかに夫婦関係にも影を落としているかを話しました。それを聞いて、カロラちゃんのお父さんも協力的になりました。カロラちゃんを自分のベッドに連れ戻す役は、お父さんが引き受けたのです。カロラちゃんは、お父さんも自分の思いどおりにはならなくなったと気づきました。

それでも、最初の二晩はとても大変でした。カロラちゃんは最初の二晩は合わせて二〇〜三〇回、お父さんに自分のベッドに連れ戻されることになりました。

お父さんは怒ったりせず、静かに、根気よく、毅然とした態度を通しました。そうやって、カロラちゃんは最後には自分のベッドで眠るようになりました。

三日めの夜には六回やってきました。二週間後には、何度か一晩通して自分のベッドで眠るという体験をしました。二晩に一度は一〜二回ぬいぐるみのクマちゃんを探して親を呼びましたが、毎回ひとりで寝つくことができました。ちゃんと眠れたときには、朝になると自慢しました。

一晩通して眠れたときには、シールを選んで、手帳に貼ることにしました。シールが五枚集まれば、ごほうびがもらえます。お母さんは、カロラちゃんが日中も以前に比べ安定し、やすまっているという印象を受けました。そして、新しい状況にはとても満足していました。


毎回自分のベッドに連れ戻すというやり方は簡単ではありませんが、ほとんどの場合は成功するものです。ただし、このトレーニングをするときには、子どもが親のベッドに来たがるのが単なるクセであり、何かにおびえてパニックに陥っているのではないことを確認しなくてはなりません。子どもの夜間の恐怖やパニックについては第5章を参照してください。

カロラちゃんの例で、睡眠の変なクセを直そうと思ったときに、重要な点がいくつかはっきりしたと思います。

状況を変える必要があることを、両親がふたりとも確信していなくてはなりません。お父さんもお母さんも真剣に協力し合うつもりでいるということを、子どもが感じ取れなくてはなりません。

また、自分のベッドで眠るということが、「いけないことをしたときの罰」になってはいけません。ひとりで眠ることは、今のような寝方に比べてよいことなんだということを、子どもに納得させなくてはなりません。

「お父さんとお母さんは、このままじゃだめだねって相談したの。お父さんもお母さんもあなたのことは大好きだし、だっこしたりするのも大好きだけど、ここに三人で眠るのは無理なのよ。あなたは寝相が悪くて夜中によく動くでしょう。お母さんはここ何週間も睡眠不足が続いていて、機嫌が悪かったりするでしょう。そうすると怒りっぽくなっちゃうし、みんなもいやだと思うのよ。お父さんと相談したんだけど、あなたには今日からはまたちゃんと自分のベッドで眠るようにしてほしいの。だから、あなたが夜お母さんのベッドに来ても、お父さんかお母さんが連れ戻しますからね。何日かすれば、絶対にあなただって自分のベッドで眠れるようになるはずよ。それは、みんなにとっていいことなのよ」と話してみましょう。

そしてひとりで眠れるようになると、たいていの子どもはそれを自慢にします。「ひとりで眠れた」ということは、「少しおとなになれた」ということですから。もちろん、ほめてあげるともっと喜びます。一回自分のベッドで一晩通して眠れたら、シールみたいなちょっとした楽しいごほうびを出すのもいいでしょう。カロラちゃんのように、特定の数のシールがたまったら何かごほうびをもらえるというふうにしてもいいでしょう。でも、ごほうびの濫用はしないこと。ごほうびがもらえるという理由で、ずっと自分のベッドで眠ろうと決意する子どもはほとんどいません。

この件について、ひとつのエピソードをご紹介しましょう。

三歳半のトビアスくんのお母さんも、子どもが自分のベッドで眠るように仕向けようとしました。そこで「三回ちゃんと自分のベッドで眠れたら、おもちゃの自動車を買ってあげる」と約束しました。トビアスくんは本当に三日間自分のベッドで眠りました。ところが四日めにはまたお母さんのベッドに戻ってきたのです。「もう自動車はもらえたからね、またお母さんのところで寝る」といいながら。

子どもをしつけるタイムアウト方式

人によっては「ベッドに連れ戻すというやり方はいやだ」と思うでしょう。「うちの子はそんなことをしてもだめ。必ず起きてまた寝室にやってくる。かぎりなく行ったり来たりしなくてはならなくなる」という人もいるでしょう。あるいは、毎回子どもを連れ戻す気力や忍耐力がないという人もいるでしょう。

このような家庭にも、役に立つアドバイスがあります。家庭のなかの平和が崩れているのに、ほかのすべてのやり方で挫折した家庭に対しては、わたしたちはくわしい行動計画表をつくって渡しています。

九一ページ以降に解説したトレーニング計画に似たものですが、こちらの行動計画表では子ども部屋のドアがとくに重要な役割を果たします。子どもたちの行動しだいでドアを開きっぱなしにするか、あるいは閉ざす（鍵をかけるわけではありません）かを決めるようにします。

たいていの子どもは、ドアが閉ざされてしまわないことを望みます。ベッドから出てこなければ、ドアは開いたままです。子どもがベッドでは眠らず、家の中を歩きまわるようなときにドアを閉めるのです。

これは、専門家が「タイムアウト」と呼んでいる方法です。次のような場面で、親のあなたもやった経験があるかもしれません。

あなたの子どもがかんしゃくを起こしているとします。欲しいものが手に入らないので、大きな声でわめき、泣き叫び、あなたに向かってきます。あなたの話を聞くような状況ではありません。あるいは、弟や妹をぶったり引っかいたり、わざと食べ物を投げ散らかしたりするとします。

こうなると、たいていの親は「このような態度は許せない」と思うでしょう。「こんな態度はだめ」「これはやりすぎ」「これ以上のことは許せません」ということを子どもに伝えたいと考えます。

でもこのようなときには、お説教をしてみたり口論してみたところで、子どもには通じないでしょう。そして親として途方に暮れると、どんな親でも衝動に駆られて子どもをどなりつけたり、ぶったりしてしまうことがあります。

そんなことをしても意味はないということは、たいていの人はわかっています。自分のなかのうっぷんをはらすことにはなるかもしれません。でも、子どもの教育と親子関係にとっては、あまりよい影響を与える行為ではありません。そして、子どもを成長させることにもなりません。

また、このような子どもの態度を「無視」するのは、子どもに物事の善し悪しの判断と責任を転嫁することになります。

子どもにとって、そのような責任は重すぎるばかりではありません。子どもは「親にとり子どもの行動はどうでもいい」というメッセージを受け取ってしまいます。そうなると、子どもはますます親の注目を浴びようと思っておかしな行動をとりつづけるでしょう。「変わったことをしないと気づいてもらえない」という結論に至るからです。

子どもをしつけようと思ったら、このタイムアウト方式以外にはあまりよい方法はありません。タイムアウトとは、一時的に親子がそれぞれ別々の空間に身をおくことを意味します。

タイムアウト方式でしつける方法

●お母さんは子どもを部屋の片隅の椅子に座らせるか、年が小さければサークルの中に入れるかして「この態度はいけません。落ち着くまでここにいなさい」といいます。同じ部屋でうまくいかなければ、子どもを別の部屋に連れていきます。隣の部屋でも子ども部屋でもかまいません。ドアを閉ざし、鍵はかけませんがしばらく押さえています。

●一分間ほどしたら、扉をまた開き、子どもと「和平交渉」をします。「落ち着けたかな?」「もう静かになったかな?」と聞いてみましょう。そのときに子どもが以前にも増して暴れたり、ひどい態度をとるようなときには、扉をさらに一〜二分間閉ざします。大切なのは、このタイムアウトの時間は非常に短くなければならない点です。

多くの子どもは比較的早く落ち着きを取り戻します。でも、ますます興奮し、げんこつでドアをたたいたり、物を投げたりする子もいます。子どものところへ行って和平交渉をするタイミングは、様子を見ながら数分間にまで延ばすことができます。でも、タイムアウトは子どもの年齢と同じだけの分数以内（二歳なら最高で二分間、四歳なら最高で四分間）にとどめなくてはなりません。

また、ドアを閉ざすことを「罰」と受け取られてはなりません。もちろん子どもにとってあまり気分のいい状態ではありませんが、ドアを閉ざしてけじめを教えたからといって、子どもの心に傷がつくことはありません。

自力で落ち着きを取り戻す気配をみせたら、ほめてあげましょう。子どもには自分で選択し決断する自由が与えられています。あなたと良好な関係を保てるかどうかは、自分の行動と責任しだいなのだとおぼえるでしょう。許されない態度をとれば、あなたからしばらく切り離される時間が延びるだけです。

タイムアウト方式のやり方をここでくわしく説明したのは、子どもの就寝をめぐり、多くの家庭で親子間の権力闘争が行われているからです。タイムアウトやけじめについて、もっとくわしいことをお知りになりたければ、『愛情の次にたいせつな子育てのルール』（アネッテ・カスト・ツァーン著、古川まり訳、主婦の友社）を参照してください。夕方の就寝時あるいは夜中の子どもの態度が親を挑発するもので、親としては受け入れがたいこともあるでしょう。子どもは、親と意地の張り合いをしてわがままを通したいがゆえに、寝る時間をどんどん遅くしたり、親のベッドに潜り込んだりすることもあります。親が疲れて、あきらめてしまっているからかもしれません。

そんなときにかぎり（そして、本当にそんな場合にかぎっていただきたいと思うのです）次のようなトレーニングを実施することをおすすめします。

もう一度強調しますが、子どもが本当に何かをこわがっていたり、悪夢や痛みが原因でひとりで眠れないでいるときに、こんなトレーニングを実行したら、問題を大きくしてしまうだけです。そんなときには、親は子どもの悩みを全身で受け止め、助けてあげなくてはなりません。そんなときに子どもが親のベッドで寝ても、まったくかまわないはずです。原因がよくわからない場合には、ひとまず小児科医その他の専門家に相談することをおすすめします。

タイムアウト方式を応用したトレーニングプラン

以下のトレーニングプランも、もともとは米国のファーバー教授の開発したものです。でも、わたしたちはひとつだけ、重要な点を変更しました。わたしたちのトレーニングプラン（図表8）では、ドアが三分間以上閉ざされることはありません（ファーバー教授は三十分までの閉鎖時間を認めています!!）。

くわしくは次のようにします。

	1回め	2回め	3回め	4回め	4回め以降
初日	1分間	2分間	3分間	3分間	3分間
2日め	2分間	3分間	3分間	3分間	3分間
3日め以降	3分間	3分間	3分間	3分間	3分間

図表8　子どもがベッドから繰り返し起きだしてくる場合に、子ども部屋のドアが閉ざされているべき時間

タイムアウト方式応用トレーニングの方法

❶子どもに、これからは自分のベッドで寝なくてはならないと話します。そして、なぜそうしなくてはならないのかも手短に説明してあげてください。

子どもがまだ小さければ、はっきりと理解するのは無理かもしれません。でもかまわないのです。罰や意地悪で決めたことではなく、親がちゃんと考えたうえでやろうとしているのだということを知らせます。あなたの愛情は今後も変わらないことを伝えなくてはならないのです。子どもに説明するときにあなたがどんな声を出すかということからも、子どもは親が本気か、それとも自分が駄々をこねたらわがままを通す余地がありそうかを感じ取ることでしょう。

❷ふだんどおりの就寝の手順を踏んで、子どもを床につかせます。「ちゃんとベッドに入っていれば、ドアは閉めません」といってもよいでしょう。

❸子どもがすぐにベッドから出てくるようなら、連れ戻します。このときドアを閉め、表に書いてある分数はドアを閉ざしたままにします。それから部屋に入ります。子どもが、ドアを開ける前にベッドから出たとしても、計画どおりの待ち時間後にドアを開いてください。あと何分したらドアが開かれると、ドア越しに予告してもよいでしょう。

❹待ち時間が三分のところまできたら、子どもがベッドから出てこなくなるまで、三分間という時間を保つようにしましょう。

計画表どおりの時間をおいてドアを開けたとき、子どもがちゃんとベッドに寝ていたら、必ず子どもに声をかけましょう。ほめて抱きしめてあげてもいいでしょう。次に部屋を出るときには、ドアはもう閉めません。

でも子どもがベッドから出てくるようであれば、また連れ戻し（でも暴力的に無理強いしてはいけません！）、ドアを閉めて計画表どおりの時間を外で待ちます。そしてそのたびに、子どもには「ベッドから出てこなければドアは開けておきますよ」と説明します。子どもが素直にベッドに戻り、また出てくる様子を見せなければ、その場で扉を開けっぱなしにしてもかまいません。でも一度そうやって失敗したら、同じことは繰り返さないようにします。

小さな子どもの場合は、扉を閉める代わりにサークルを使ってもいいでしょう。子どもが乗り越えてしまわなければいいのです。待っているあいだは、子どもと視線が合わないところで待機してください。

大きな声でどなったり、脅かしたりするのは絶対に避けます。子どもが、親は自分を罰したり意地悪をしているのではなく、新しいことを教えて助けてくれようとしているのだということが感じ取れなくてはなりません。

三歳以上のちょっと大きな子どもには、ごほうびを約束してやる気を出させることもひとつの方法です。ちゃんとひとりで寝ていられたら、ごほうびをあげるのです。たとえばシールを集めて、特定の数が集まれば、好きなものと交換できるようにしたりします。

まとめると次のようになります。

子どもは、自分の行動しだいで、結果を操作することができます。ベッドから起きださなければ、ドアは開いたままになります。歩きまわると、ドアは閉じられてしまいます。子どもは、この関連をすぐに把握します。あなたさえ筋を押し通すことができれば、子どもは数日以内にちゃんとベッドで眠るようになるでしょう。

リナちゃんの例は、このトレーニングが実地でどんなかたちで実行されるかの例です。

リナちゃんの家では、お父さんが毎晩三十〜六十分間、リナちゃんの横で添い寝をし、リナちゃんが寝つくのを待つことが習慣になっていました。しかもリナちゃんは毎晩夜中になると両親のベッドにやってきて、三〜八時間をそこで過ごします。

眠りはとても浅く、そのうちの一時間半くらいは目を覚ましています。寝入るときにはお母さんの顔をいじったり、お父さんのひげをいじったりします。両親はふたりとも、そのことを気持ちがいいとは思っていません。リナちゃんの両親は子育てにとても一所懸命で、愛情もたっぷりの人です。でも、しだいにこの状況にいらだちをおぼえるようになっていました。

リナちゃんのお母さんは確信しています。「うちの子どもは何かがこわいわけではない。わたしたちの愛情を疑ったりもしていない」と。でも寝つくときは、これまでいつもリナちゃんの思いどおりになっていたので、リナちゃんのほうからこの習慣を変えようと思うはずはありません。

リナちゃんのお母さんは、ドアを開けたり閉めたりするタイムアウト方式のトレーニング計画を実行することにしました。まず、リナちゃんが話を脇で聞いているときに、おばあちゃんにトレーニングのやり方をくわしく説明しました。

リナちゃんは、そのときにおばあちゃんが「本当にそんなことまでするつもりなの？」といったのも聞いています。お母さんは「うん、今のまんまじゃもう身体が続かないし、このまま放っておいてはだめだと思うの。こうするよりほかにいいやり方はないと思うから」と答えたのも知っています。

リナちゃんは初日から、「自分が自分のベッドで寝なくてはならなくなったのだ」ということを納得していました。一晩めの夜は一晩通して眠りました。その後の数日間は、夜中に一度は子ども部屋に連れ戻されました。ドアを合計で五分以上閉ざす必要はまったくありませんでした。

二週間後にはリナちゃんは何度か親に気づかれずに親のベッドに潜り込んでいました。でも、たいていは一晩中自分のベッドで眠るようになりました。お母さんの決意は固いということを、おばあちゃんとのやり取りから察したリナちゃんは、明らかに納得したようです。本人が納得してくれたため、意地の張り合いになることもありませんでした。

自分でやり方を工夫する

もしドアを開けたり閉めたりする方法が適さないと思うのであれば、自分の気持ちに逆らってまでこの方法を実践したりしないでください。多少余計なエネルギーがかかり忍耐力も必要かもしれませんが、よい結果をもたらすためのもっと別の方法だってあるのです。

あなたがまだ本当に追い詰められたり、切羽詰まった心境になっていないなら、もっと気長に構えていてもかまいません。

子どもが親のベッドに来たがるのは、何かの不安や恐怖が原因になっているのではないかとか、子どもの病気が治ったばかりなので今はやさしくしてあげたいという気持ちがあなたに残っているかもしれません。それでも、家族全体のことを考えると、子どもは自分のベッドで寝たほうがよいと確信しているとしましょう。そんなときには、自分なりによい方法を考えて実行すれば、しだいに希望している結果に導くことができるものです。

たとえば、次のような例もあります。

六歳のクリスティアンくんは、二年間たいへん重い病気にかかっていました。何度も入退院を繰り返し、ときどき家に帰っても、夜中にくすりを飲んだり、親が二十四時間態勢で監視しなくてはならない状態が続いていました。

この病気の治療中、クリスティアンくんは両親の寝室で寝ることがみんなにとって一番いいことでした。両親は徹夜で看病して自分がどんなに睡眠不足になろうと、子どもの命を助けるにはそばにいるのが最善の方法だと確信していました。そばにいていつでも助けたいと思うのは当然のことでした。

幸いクリスティアンくんの病気は治りました。夜中にくすりを飲む必要もなくなり、年齢相応に小学校にも上がりました。「そろそろ普通の生活に戻さなくてはならない」と両親は考えています。クリスティアンくんの精神的な成長のためにも、そろそろ自主性を育て、ひとりで行動する自信をつけていかなければなりません。そのためにも「ひとりで自分のベッドで眠れるようになることも大切なことだ」と両親は考えています。本人も「ひとりで眠れたらいいな」とは思っていますが、いざとなると心配になってしまいます。

クリスティアンくんとお母さんは、相談の結果、次のやり方で練習することにしました。

ゆっくりとおやすみ前に本を読んで聞かせた後、お母さんはクリスティアンくんが眠りにつくまでベッドの横に座ります。クリスティアンくんは、夜中に目が覚めたらまずはひとりで眠りにつくように努力します。それでだめだったらお母さんを呼ぶことにしました。呼ばれたお母さんはクリスティアンくんを彼のベッドに連れていき、クリスティアンくんが寝つくまで黙って椅子に座って待ってあげることになりました。

最初のうちは、一晩に二〜三回お母さんを呼び、四十五分間も目が冴えていることがありました。クリスティアンくんが眠れなかったのは、「自分が眠ってしまうとお母さんが部屋を出ていってしまう」と知っていたからです。お母さんはこの関連がわかっています。そのため、「あなたが本当にお母さんが必要なときにはそばにいてあげる」と伝えることが大切だと考えました。

そこで毎日、椅子をベッドから少しずつ離していきました。クリスティアンくんがもし立ち上がったり、駄々をこねたり、けんかを始めたりしたら、数分間部屋を出ていく約束もしていました。でも、その必要はありませんでした。一週間ほどしてクリスティアンくんは自分から「お母さん、もう大丈夫だから寝ていいよ」といえるようになりました。

クリスティアンくんが本当にひとりで眠れるようになるまでには、四週間かかりました。四週間たつと、ひとりで目が覚めても、また眠れるようになりました。もちろん、こわい気持ちになったり、悪夢を見て目を覚ましたようなときには、いつでも両親のところへ行っていいことになっています。でも、そんなことはほとんどありませんでした。

クリスティアンくんは、数週間、親を呼ばずに一晩ひとりで眠れたら、ごほうびがもらえることになっていました。クリスティアンくんはやる気満々で、自分でもひとりで眠れるようになることを楽しみにしていました。お母さんは、四週間にわたって多大なエネルギーと忍耐を投入したわけですが、そのことが子どもを助けることだと確信していたので、初志貫徹することができました。そして目標を達成できたとき、親も子も自信をつけることができました。

もうひとつ、独創的な方法を紹介します。

三歳のベンヤミンくんのお母さんは、わたしが半ば冗談でいった言葉を実践してみたのです。

わたしのアドバイスは、「子どもがいつも親のベッドで寝ているのだったら、『あなたには専用ベッドはいらないわよね。片づけてしまいましょう。遊ぶスペースもつくれるし』といって子どものベッドをかたづけてしまってもいい」というものでした。

こうしてしまうと、子どもは、両親のベッドで寝るほかないことになります。たいていの子どもは、できないことや禁じられたことに興味を感じるものです。ですから、しばらくすると「自分のベッドで寝てみたい」という気持ちになる可能性は高いでしょう。子どもが自分からひとりで寝てみたいと望むのなら、親が無理を強いる必要はありません。

ベンヤミンのお母さんはこうして、まったく無理をせずに問題を自然解決したのでした。ただし、この方法が必ずうまくいくという保証はありません。

トレーニング方法に対する反対意見や心配の声

講演会や個別相談で、わたしたちのトレーニング計画を紹介したときの反応は、おおよそ三つに分かれます。

たいていの人は、現実的で必ずうまくいくと思える方法があることを喜んでくれます。「就寝の習慣と子どもの夜泣きの関連が理解できた」「自分と子どもが一時的にある程度大変な思いをしても長期的に見て事態が改善されるのなら、ぜひトレーニングをやりたい」といってくれます。

もうひとつのグループは、幸いそれほど数は多くありませんが、すでに疲れきってしまっているお母さんたちです。何カ月間にもわたり夜中に何度も起こされ、ミルクをつくったり、授乳したりして慢性的な睡眠不足に陥っており、極端に長く泣き叫ぶ赤ちゃんに疲れきっています。

このような親たちは「何でもいいから、いい方法を教えてください。もうこれ以上ひどいことになるはずはありません」といいます。このような人はどんなやり方だろうと、わらをもすがる思いで実行してしまうでしょう。ノイローゼ寸前のこんな人たちには、早急に絶対にうまくいく方法を教えてあげなくてはなりません。

三つめのグループは、私たちのトレーニング方法に反対する人たちです。「子どもの意思を無視してもいいのだろうか」「こんなやり方をして子どもの心に傷をつけることになるのではないか」「子どもと自分の関係にひびが入ることはないだろうか」「子どもが泣いたらすぐにそばに行ってなぐさめてやらないと、子どもの安心感を破壊することになるのではないか」といった意見をもっています。

このような心配はよくわかります。でもわたしたちは、そんな人に「では、今までどおりのやり方でやっていて何が変わるのか」ということを考えてもらうことにしています。子どもの習慣を変えなければ、どういうことになるでしょうか。泣くたびに、それが夜中に何度であろうと、親が子どものいうことをきくことで泣かさないようにしている場合、子どもはその行為からどんなことを学ぶのでしょうか。

そして、毎夜子どもに起こされて睡眠不足になっているあなたの子どもに対する気持ちに、影響はまったくないのでしょうか？　あなたと子どもの関係にひびが入らないという自信が、あなたにはありますか？　今のような状況で夫婦生活に負担はかかっていませんか？　みんなが一晩通して眠れるようになったら、どんな結果がもたらされるでしょうか？　それは親が勝手に満足するだけでしょうか？　それとも、あなたの子どもにとっても何かよい影響があるでしょうか？

何カ月間にもわたり、子どもに毎夜起こされてもまったく苦にならない親もいます。このような人は現状に満足しており、しかも元気で、子どもに対してもいつも明るく接することができます。こんな親がこのトレーニングに疑問を感じる場合には、「トレーニングはやめておいたほうがよい」とアドバイスしています。

けれども長年相談を行ってきた結果、実は多くの親が子どもの睡眠パターンを苦にしているということが判明しています。子どもに無理を強いられているという気持ちを抱えていると、しだいに子どもに対してよくない感情を生み、攻撃的になったりします。他人にそんなふうに感じていることを話すのははばかられるかもしれません。親によっては「里子に出したくなっちゃう」などという冗談をいって、憂さを晴らしたりします。赤ちゃんや幼児を揺すったり、ぶったりして、罪の意識にさいなまれ、無力感に襲われている人もいます。

こんなことをしてしまうのは残念なことです。でも人間的なことです。そしてなによりも、それが現実なのです。このような親に、「……すべきではない」というお説教をしてみたところで何も始まりません。「×××をしてはいけない」といっても、問題が解決できないかぎり何の意味もありません。こんな「アドバイス」は罪の意識を生むだけで、そのような親がもっと不安定な状態になるだけです。

実体験もないのに「親はこうすべきだ」といったアドバイスをする自称専門家の話には、注意したほうがよいでしょう。そして、子どもの言いなりになるというのは、その場では常に一番手っ取り早い方法です。

たとえば、みなさん誰もが経験のある親子げんかを例に挙げてみましょう。母と子がスーパーで買い物をしているときに、子どもがチョコレートを欲しがったとします。母親がそのときの状況から判断して「だめ」というと、子どもが駄々をこねはじめ、床に身を投げ出します。

ここで、母親にはふたつの方法が残されます。

ひとつは、そこでチョコレートを買ってあげる方法です。子どもはすぐに静かになり、その場で問題は解決します。でも、これはその場かぎりのことです。次にスーパーに出かけたときに、また同じことが起こります。泣いて叫べば、チョコレートというごほうびが出てくるのです。次の機会に泣かない手はありません。

もうひとつの方法は、その場でチョコレートを買わないことです。もちろん、一時的には子どもはもっと声を張りあげ、とても困った状況に陥ります。よその人がじろじろと親子をながめ、「なんてわがままな子どもだ。無能な母親だ」といった顔をします。余計なことをいう他人も登場します。母親は冷や汗をかきながら、この状況を我慢します。でもその次、あるいはまたその次の機会には、子どもはもう泣かなくなります。「泣いてもだめだ。お母さんがだめっていったら、だめなんだ。自分が大きな声を出しても、あまり意味はないんだ」と理解するからです。

チョコレートを買わなければ、親は一時的には大変な思いをしますが、結果的には早く問題を解決します。こんなときに、「母親が子どもの主体性をつぶした」と思う人はほとんどいないでしょう。多くの寝つきの習慣も、このチョコレートとあまり変わりません。長期的に見れば「何を」「どれだけの時間」「親にどうして欲しい」などということを子どもに決めさせるのはよいことではありません。

親が自信をもって行動することは、子どもが安心して成長するために必要なことです。たいていの親は、子どものニーズを見計らい、責任をもって行動します。子どもが本当は何を必要としており、いつけじめをつけるべきかを知っているのです。臆病な子どもや病気の子どもは、ほかの子どもよりも細やかに愛情を示してやらなければなりません。第5章、第6章で、そのことについてもっとくわしく説明します。

まとめ

●不便な寝つきのクセが問題をつくる

多くの子どもは、おしゃぶりをしゃぶったり、だっこをされたり、添い寝をしてもらったり、おっぱいや哺乳びんをくわえたりしながら、寝つくクセがついています。これらのクセはすべて睡眠障害の原因をつくる危険があります。ひとりで寝つけない子どもになってしまう可能性があるからです。

●ひとりで眠るトレーニングをする

わたしたちの計画表に従ってすやすやネンネ・トレーニングをすれば、子どもはひとりで寝つくようになります。その方法は、目を覚ましているうちにベッドに寝かせること。そして泣きはじめたら、こわい思いをさせないために所定の計画に従って、繰り返し子どものそばに行きます。

でも、赤ちゃんのわがままをきいてあげるのではありません。泣いても、欲しがっているものは出しません。そうすると、あきらめて子どもは泣くのをやめます。そして、ひとりで眠れるようになるのです。なによりも、これは夜中に目を覚ましたときに役に立ちます。いちいち親を起こす必要がなくなるのです。

●ドアを開けたり閉めたり――自制《じせい》を学ばせる方法

就寝の時間になると子どもが必ず起きだして、親のいるところにきて眠らない場合には、「ドアを開けたり閉めたり」方式で練習します。子どもは、自分の態度しだいで状況を選択することができます。ベッドの中にいるかぎり、ドアは開かれています。起きだすと、ドアは閉ざされます。

第4章

子どもの睡眠——こんなことがわかっている

この章のポイント

●子どもの平均睡眠時間はどれくらいか
●睡眠にはどのようなパターンがあるのか
●なぜ多くの子どもが夜中に目を覚まして泣くのか

子どもはどれだけの時間眠るもの？
睡眠にはどんなパターンがあるの？

睡眠時間の短い多くの子どもは、見ただけで疲れているとわかります。目をこすり、泣きやすく、気力が集中しません。でも、日中ご機嫌がよくおとなしくて、ひとり遊びもできる子なのに、実は睡眠不足だったというケースもあります。睡眠パターンを直してみて初めて、本当はもっとよく眠る子どもだった、もっと機嫌のよい精神的に安定した子だったのだと気づくことがあります。

図表9を見てください。新生児から十歳児までの「平均的な睡眠時間」をグラフにしてみました。ファーバー教授の研究から引用したものですが、わたしたちの経験でも裏づけられます。日中の睡眠時間と夜中の睡眠時間の分布に注目してください。

新生児の場合は、合計十六・五時間程度の睡眠で、昼間はいくつかの同じくらいの長さの睡眠に分かれています。昼夜の区別がつくようになるまでは、しばらく時間がかかるものです。しだいに夜間の睡眠時間が長くなり、昼寝の回数が減っている様子が読み取れるでしょう。

半年を過ぎたころから、夜間の睡眠時間が安定します。合計約十一時間の夜間の睡眠（授乳

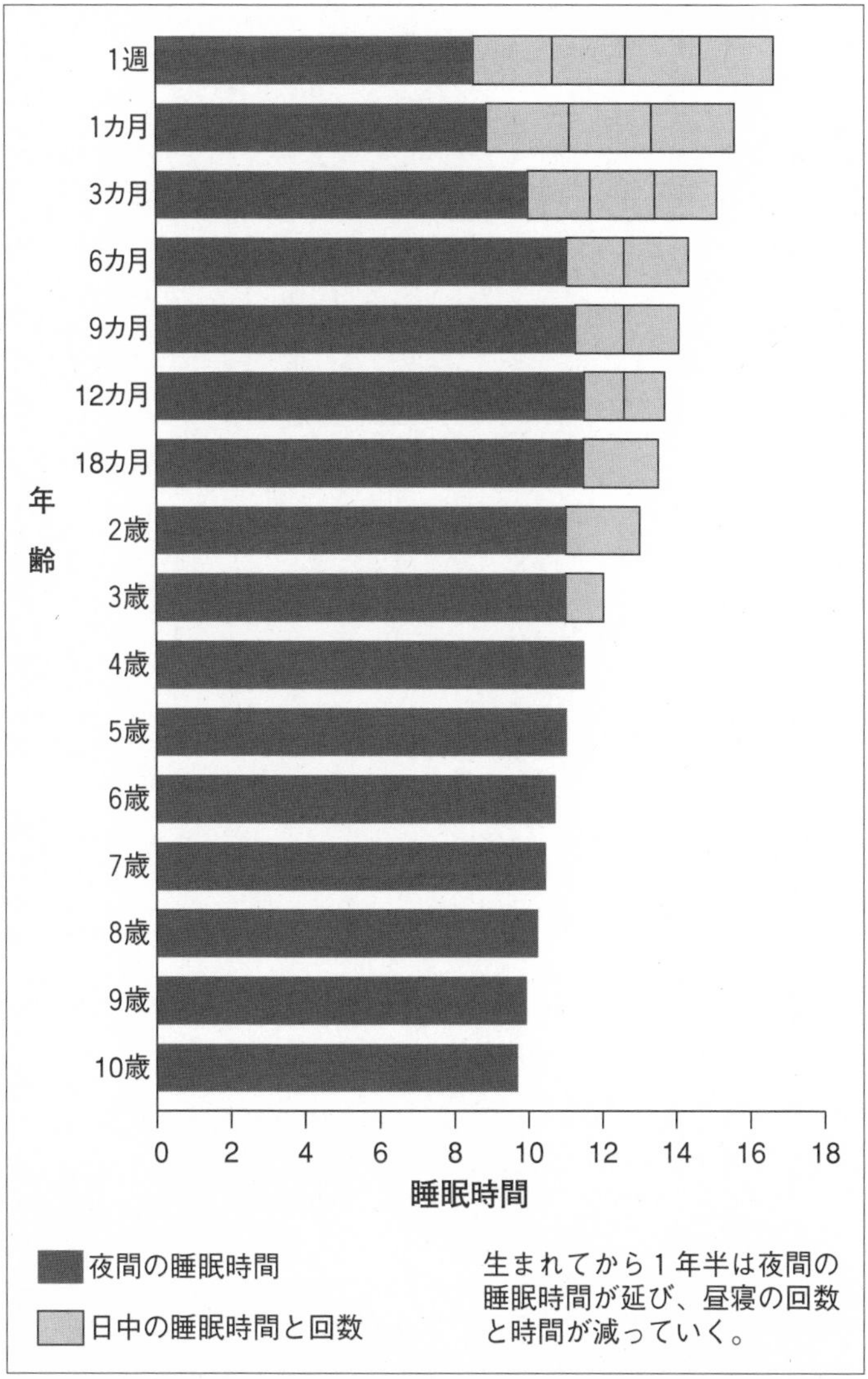

図表9　新生児から10歳児までの平均的な睡眠時間

時間を除く）以外に、午前に一回、午後に一回の昼寝が普通になります。五歳くらいまでは夜間に十一時間前後まとめて眠り、足りない分は、昼寝をして補うというパターンが続きます。

二歳を過ぎると、たいていの子どもは昼寝の回数が一回に減ります。そして、二歳から四歳のあいだに、昼寝はいらなくなるでしょう。五歳を過ぎるとしだいに夜の睡眠時間も短くなっていきます。夜の睡眠時間は一年で十五分間ずつくらい短くなるものです。

このグラフの睡眠時間と自分の子どもの睡眠時間を比較する場合、一時間程度の個人差は普通だということを頭に入れておいてください。でも、子どもの睡眠時間がこのグラフにある時間数よりも何時間も短い場合には、睡眠パターンに何らかの異常があり、パターンを変えれば、もっとよく眠れるようになる可能性が高いといえます。

またこのグラフを見て、自分の子どもが平均よりもずっと長い時間眠っていることに気づく人もいるかもしれません。そうだとしても、あまり心配することはありません。たぶん単によく眠る子どもなのでしょう。

もちろん、睡眠時間が極端に増える病気もあります。眠り病と呼ばれる病気です。でも、発症するのは早くて小学生くらいの年齢になってからで、しかも極端に珍しい病気ですので、ここでは説明を省きます。「子どもの睡眠時間が異常に長いみたい」と心配になったら、まず小児科医に相談することをおすすめします。

グラフを見て、子どもの睡眠時間が合計では充分足りているのに、あるいは平均よりも長いのに、夜になってもベッドに入るのをいやがったり、夜中に目を覚ましては遊びたがるというようなことに気づいたら、それも気になるところかと思います。

月齢十二カ月のミラちゃんがそうでした。二日に一度、夜中の一時くらいになると必ず目を覚まし、一～二時間はすっかり目が冴えて、元気いっぱいに活動します。再び眠りにつこうという気配はまったくなく、とてもはしゃぎます。お母さんはもちろん、真夜中に娘と積み木遊びをするような気力はありません。そこで哺乳びんをもってきたり、ミラちゃんを自分のベッドに入れたりと工夫するのですが、まったく効果はありませんでした。途方に暮れてミラちゃんをベビーベッドに連れ戻すと、ミラちゃんは一時間くらい泣きつづけます。そして、泣き疲れて寝入るのです。二日に一度がこんな状態でした。

相談の結果、問題はミラちゃんの睡眠時間の分布にあるということになりました。「よい日」にはミラちゃんは夜の七時から朝の七時まで眠り、しかも三時間のお昼寝までします。つまり、十五時間も寝ているのです。これでは多すぎます！　これが、ミラちゃんの不眠の原因だったのです。

「治療」は簡単でした。お昼寝は一時間半眠ったら、必ず起こせばよいのです。ミラちゃんは、二日めから夜中に起きなくなりました。

お母さんはあっけに取られてしまいました。わが子がもっと眠らなくてはならないと思い込んでいたからです。

これは決して珍しいケースではありません。赤ちゃんが夕方の六時ごろから朝の九時くらいまで寝ていてくれればラクなのにという冗談はよく聞きますが、これは本当に単なる夢であって、まったく現実離れしていることです。

兄弟の年が離れているのに、同時に就寝させている家もよくあります。もちろん、家族全員がそれで満足しているのなら、このような習慣を変える必要はありません。五歳以下の子どもの場合は、いずれにせよ昼寝で不足分を調整していますからまったく問題はありません。

でもわたしたちは、**五歳を過ぎたら年齢別に扱う**ように指導しています。三歳年上の子どもを下の子と同じ部屋で寝かせている場合は、上の子は親の部屋で三十分ほど長く本を読んだり、カセットを聞いたりさせてもいいのではないでしょうか。下の子にだって、それくらいの別行動は我慢させてかまわないはずです。

十歳のウードくんの例は、もう少し大きくなった子どもの場合、就寝時間が早すぎると問題が起きる危険があることを示すものです。

ウードくんのお母さんは、働くシングルマザーです。きつい仕事から帰った夜は少しゆっくりして一息つきたいと思っています。子どもを毎晩七時から七時半のあいだに就寝させて、消灯していました。でも少しもうまくいきません。

一年くらい前からウードくんは、消灯後に何度も子ども部屋からリビングルームに起きだしてきては、のどが渇いたとか、おなかが空いたとか、口実を見つけてはお母さんに口論をふっかけ、結局眠りにつくのは九時半から十時のあいだになりました。

週末には十時まで起きていてもいいことになっているのですが、そんな週末には就寝前のトラブルはありません。

週末の起床時間は、学校に行く日と変わらずいつも七時。これを聞いてはっきりしました。ウードくんは、遅くまで起きている平日でも充分に睡眠をとっているのです。不足していたら、週末に寝坊をしたはずです。彼の年齢では一日あたり平均九時間半程度の睡眠で大丈夫です。だからといって、疲れきっているお母さんが毎晩夜の十時まで子どもにつきあうのは無理な状況にありました。

そこで、次のようなやり方を考えました。

ウードくんには、七時半までには就寝の準備をすませてもらうことにしました。ちゃんと約束が守れたときには、お母さんが八時までウードくんの枕元に座り、話をしたり、ゲームをしたり、じっくり相手をすることにしました。

その後、お母さんは子ども部屋を出て、ひとりでゆっくりする時間をもちます。ウードくんは九時十五分までは部屋で起きていて、好きなことをしてもよいことになりました。その代わり、この間はお母さんがゆっくりくつろげるようにしてあげること。ウードくんも、この提案にはすぐに同意してくれました。彼も、このやり方なら生活が改善すると納得できたのです。

眠っているあいだにこんなことが起きている

熟睡状態と夢

四十年ほど前、シカゴのアセリンスキーおよびクライトマン両博士が、睡眠というものがひとつの単一の状態を指すものではないことを発見しました。

現在、各国の睡眠医学研究所では、脳波から睡眠中の脳の活動がどのように変化するかを、的確に把握できるようになっています。

まず、睡眠には大きく分けてふたつの種類があります。専門用語では「ノンレム睡眠」と「レム睡眠」と呼ばれているものです。

簡単な言い方をすれば、日常わたしたちが熟睡状態といっているものが「ノンレム睡眠」、夢を見ている状態が「レム睡眠」です。

　眠りについたわたしたちは、まず静かな熟睡状態に陥ります。順々に階段を下りていくようにして、わたしたちは四段階を経て一番深い眠りにつくのです。

　第三段階と第四段階で、わたしたちの呼吸はとても緩やかになり、心臓は規則的に鼓動し、脳も「やすみ」に入ります。脳波を見ると、大きなゆったりとした波が見られます。デルタ波と呼ばれているものです。脳が身体に送る信号も非常に少なくなるので、わたしたちはこの間、身体をほとんど動かしません（ただし、いびきをかくことはあります。よりによって一番深く眠っているときに）。

　第三段階と第四段階の最も深い睡眠に落ちている人を起こすのはとても難しいことです。電話のベルがよほど大きな音で鳴ったりしなくては目が覚めません。こんなときに起こされると、わたしたちはまず頭がぼーっとしていて、何が何だかわからず、状況を把握するのに時間がかかります。この現象は、後に説明する「夜驚症」と「夢遊病」というふたつの子どもの睡眠障害にも関係のあるものです。

　二〜三時間すると、熟睡相（ノンレム相）が終わり、最初の夢を見ることになります。この睡眠相では、まぶたの裏で目玉がとても速く動くのが特徴なので、レム（Rapid Eye Movement）という科学用語がついています。同時に、心臓の鼓動も呼吸も激しくなり、不規則になります。身体の酸素消費量が増え、脳は活発に活動します。こうして、わたしたちは夢を見るのです。この段階で誰かに起こされたら、わたしたちは夢の内容をくわしく人に話すことができます。

なぜ人が夢を見るのかは、まだ解明されていません。でも、夢を見ながら歩きまわったり、暴れたりすることは誰にもできないということがわかっています。レム相では、筋肉は弛緩してほぼ完全に動かなくなっているのです。脳は筋肉に向かって多くの信号を発信していますが、筋肉までは届かず、脊椎でストップされることがわかっています。

夢の中ではいろいろな体験をしているのに、ベッドの中でほとんど動かずにいられるのはそのためです。ただし、手や顔が動いたり引きつったりすることはあります。夢の中身と関係がある可能性はあります。

胎児から生まれておとなになるまで——睡眠はこう変化する

レム相と熟睡相は一夜のあいだに何度か交互に訪れます。これは赤ちゃんもおとなも同じです。でも、赤ちゃんとおとなの睡眠パターンには違いがあります。

胎児の場合、睡眠の八〇%がレム相ですが、月満ちて生まれた赤ちゃんの場合でも、レム相は全体の五〇%程度です。そしてこのレム相の比重は、三歳児では睡眠の三分の一、おとなでは睡眠の四分の一としだいに減っていきます。

睡眠について研究する医学者は、なぜ胎児と新生児の睡眠に占めるレム相の比率がこれほど高いのか、いろいろな仮説をたてています。そのなかの何人かは（最初にこの説を唱えたのはロフワング博士でした）、こうやって子どもの睡眠中に脳の成熟が促進されるのではないか、という仮説を唱えています。

胎児であれ、脳の信号は、おとなが物を見たり聞いたりしたときに通過するのと同じ神経ルートをたどっているのだそうです。母親の胎内で過ごす時間も活動的なレム睡眠によって有意義に利用されているのではないか。胎内で眠りながら、視覚・聴覚・触覚などとして働く神経機能が準備されるのではないかというわけです。

新生児はレム睡眠のときに、おとなが見る夢と同じような夢を見るのでしょうか。これは永遠の謎でしょう。でも、二歳児でもレム睡眠のときに起こすと「夢を見た」と話すことがあります。

新生児の睡眠には、乳児やおとなともうひとつ違う点があります。新生児は、眠りについた後、まずレム相があらわれます。眠りはじめに熟睡相があらわれようになるのは生後三カ月を過ぎたころからです。また、生まれて最初の数週間は、熟睡相も未熟です。

熟睡相が四段階にはっきりと分かれるのは六カ月め以降です。赤ちゃんの睡眠がおとなの睡眠パターンに似るのはこのころからです。六カ月を過ぎたころから、赤ちゃんの脳と睡眠パターンは十一〜十二時間続けて眠ることができるまでに成長しているのです。

なのに、一晩通して眠ることがうまくできない子どもが多いのはなぜか、次の節でその理由を説明しました。

睡眠パターン——寝つき、目覚め、また眠ること

わたしたちの考えでは、睡眠パターンと子どもの夜泣きの関連を最もわかりやすく説明したのはファーバー教授です。そこで同氏の研究の結果を図表10に表してみました。

この図を見ていただくと、子どもの成熟した睡眠パターンがどんなものか、おわかりいただけると思います。

この例では、夜八時から朝七時までを睡眠時間と仮定しました。もちろん、この就寝時間は絶対的なものではありません。ですから、あなたの子どもの就寝時間がもっと遅くても早くても、睡眠のパターンは前後にずれるだけで、変化することはありません。

この図を見れば、レム相と熟睡相の区別もおわかりいただけると思います。ただし熟睡相は、図を簡易化するために四段階では表さず、深い熟睡と浅い熟睡の二段階に分けました。

深い熟睡相は、眠りはじめた直後の二〜三時間に二回と、もう一回だけ明け方に見られます。

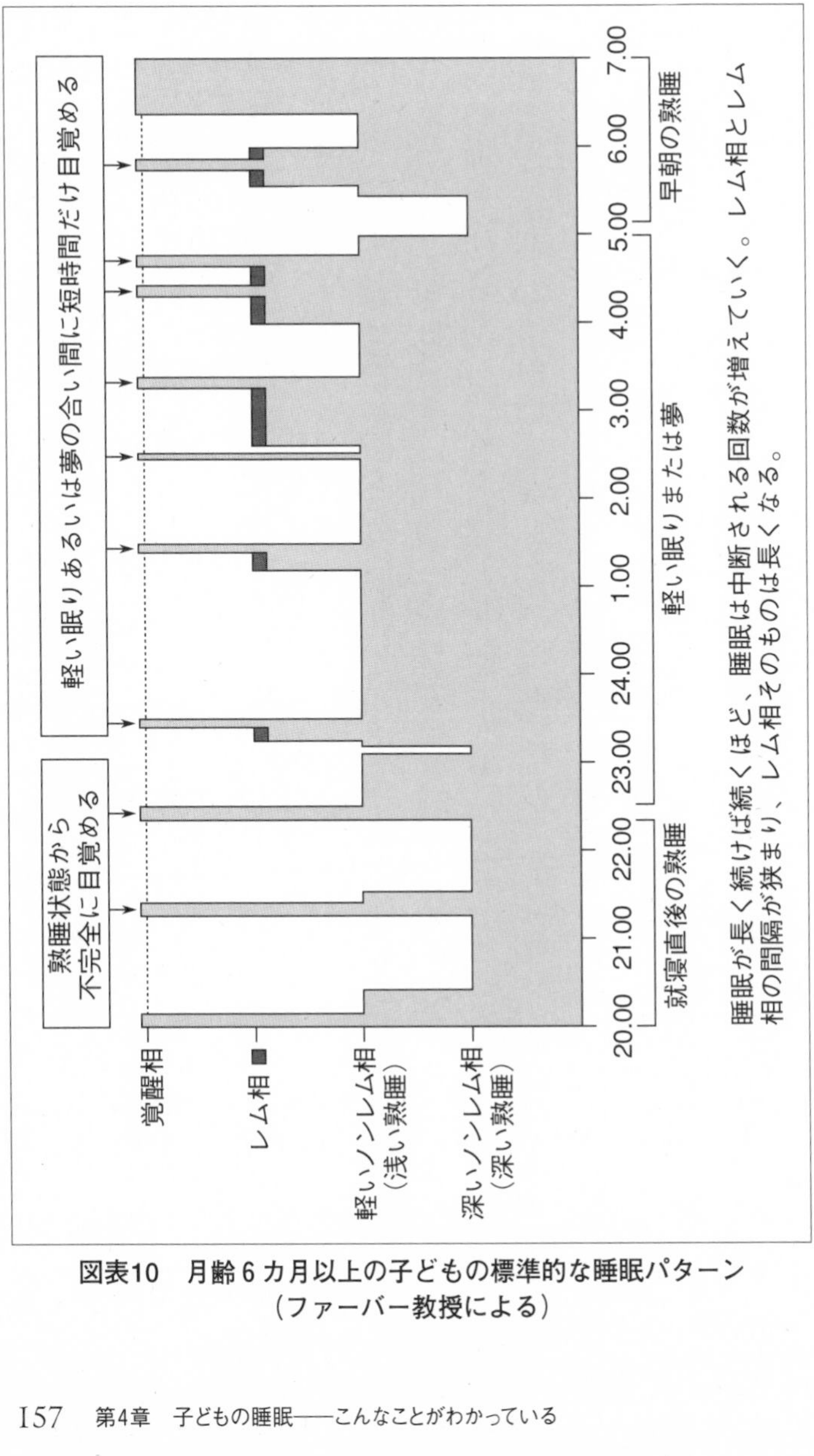

図表10　月齢6カ月以上の子どもの標準的な睡眠パターン
（ファーバー教授による）

ほかの時間はレム相と浅い熟睡相が交互に訪れます。図の矢印は、子どもが目を覚ましたときです。たとえば夜の九時半と十時半に見られる矢印は、熟睡状態から不完全に目を覚ましたことを意味しています。つまり人は睡眠相が一巡するたびに夜中に何度も目が覚めかけるのです。この夜の経緯をこれから図を参考にしながらくわしく説明します。わかりにくかったら、この図を見るようにしてください。

この例では、あなたが夜の八時ごろに子どもをベッドに寝かせたとして、次のようなことを観察することになります。

まず寝ついてから数分後に、子どもは眠りに落ちます。一度熟睡しはじめると、小さな子どもはなかなか目を覚ましません。掃除機をかけたり、電灯をつけたり、赤ちゃんを自動車からベッドの中まで運んだり、おむつを替えたりしても目を覚まさないことがあります。

ここまで話すと、多くの人が反論します。「うちの子はなかなか寝つきません。寝つくことに抵抗しているみたいで、一時間以上たってもなかなか寝ついてくれません」というような話をよく聞きます。

こういう家では、子どもがどんなかたちで就寝しているのか、だいたい想像がつきます。子どもがスムーズに眠りにつけるようにと、かなり手間をかけて親が手伝うことが習慣になっているのです。

たとえば一歳のキリアンくんのようなケース。キリアンくんは寝つくまで親がだっこして家の中を歩きまわり、ベッドに入れようとすると必ず目を覚ましてしまいます。

あるいは九カ月のマリカちゃん。お母さんはマリカちゃんが眠るまで、毎晩二～三時間（！）は子ども部屋で枕元に座り込み、いつも視線を合わせ、手を握り、ときどきだっこしたりしています。

添い寝を「しなくてはならない」多くの親たちは、こっそりと出ていこうとするタイミングをあせると、子どもは再び目を覚まし、またはじめからやり直しになってしまいます。

第2章でもっと多くの例を挙げましたが、これらの例に共通するのは、寝入ることに抵抗する赤ちゃんや幼児は、ベッドで安心して眠れないという点です。寝てしまったら、何か異変が起きる、何らかのかたちで親が自分の目の前からいなくなってしまうと感じているので、いつも神経をとがらせているのです。

おとなのあなただって、「眠ってしまったら必ず誰かに布団をはがされる」というような、何か不快なことが起きるとわかっていれば、似たような心境になるでしょう。そしていやなことが起きないように、できるだけ起きていようとするでしょう。

寝つきの悪い赤ちゃんは、似たようなことを「考えている」のだといえます。「寝ちゃったら、みんなそっと部屋を出ていってしまう！　おいてきぼりにされる！」「寝ちゃったらひとりでどこか別の部屋に連れていかれる！」「こうなったら、もう起きているしかない！」。

そう思っている赤ちゃんは、本当に賢い子だと思いませんか？

幸い、すべての赤ちゃんがこんな反応を示すわけではありません。多くの赤ちゃんは眠けに勝てず、簡単に寝てしまいます。赤ちゃんの寝つきを基本的によくするにはどうしたらよいかは、第2章で説明しました。

図表10の話に戻りましょう。どんな子どもでも、いつかは眠り熟睡します。多くの親にとり、これは「これで三時間は静かにしてくれる」ということを意味します。

「軽く目を覚ます」ことを示す矢印が多数登場するのは夜の十一時以降です。このことはつまり、子どもの目覚めの時間が、疲れた親が熟睡する時間帯とぶつかることを意味します。

もちろん、眠りはじめてすぐに第一回めの泣き声をあげる子どももいます。眠りはじめてから二十〜三十分以内に泣く場合には、熟睡相に入る前に目を覚ましたといえるでしょう。

また、一時間から一時間半後に熟睡相から突然目を覚ます、あるいは寝ぼけたまま起き上がるのもまったく普通のことです。たいていのケースでは、親はそのことにまったく気づかないでしょう。子どもは寝返りを打ったり、わけのわからない寝言をつぶやいたり、目をこすったり、あるいはむっくりと起き上がってぼおっとまわりを見まわして、またぐっすりと寝入るでしょう。

この中途半端な目覚めは、脳波の変化によって引き起こされるものです。脳波を見ると、この時点ですべての睡眠パターンがごちゃごちゃになっていることがわかります。つまり、睡眠相の切り替えがどの程度うまくいくかによって、いろいろな反応があらわれるのです。図では九時半と十時半の矢印がこの状態を示しています。子どもはこのとき、寝ているのか起きているのかはっきりしない状態にあります。

子どもによっては、この状態で「異常」な行動をとることがあります。立ち上がって部屋の中を歩きまわったりします。夢遊病と呼ばれる現象です。あるいは暴れだし、二十分程度ぶったり蹴ったり絶叫したりすることもあります。これが夜驚症です。

図の例では、子どもは十一時半にもう一度軽く目を覚ましています。大半の子どもは、まわりが気づかないうちにこの覚醒相も過ぎてしまいますが、一〇％以下の少数の子どもは夢遊病や夜驚症で、暴れる、泣きわめくなどといった激しい反応を示します。このような生理的な睡眠障害の対処法については、第5章でくわしく説明します。

一方、九割以上の子どもの「夜泣き」といわれる睡眠障害は、生理的なものではなく習慣の問題です。これらが発生する原因は、子どもが眠りはじめてから三時間以上経過した夜の十一時以降にどのようなことが起きているのかを調べると解明できます。

図の例では、十一時ごろに第一回のレム相が始まり、子どもは夢を見はじめます。明け方までに七回のレム相がありますが、明け方にかけて夢は長くなり、回数も増えていきます。そしてレム相が終わるたびに矢印（目覚め）があります。

つまり、子どもはここで毎回軽く目を覚ますのです。そして、またあまり深くはない熟睡相に戻ります。子どもは一晩に七回ほど、夢を見た後に軽く目を覚ましては再び浅い熟睡状態に戻るわけです。そしてこれは朝の三時ごろからしだいに間隔が短くなって繰り返されます。

多くの親は、「そうだ、うちの子どもが目を覚まして泣くのはこの時間帯だ！」と気づくでしょう。

本当に一晩中、通して眠る子どもはいません！

どんな子どもでもおとなでも、実は夜中に何度も軽く目を覚ましています。

夜泣きをする子どもとしない子どもの違いは、親が気づかないうちにまた寝つくかどうかという点です。

多くの子はそのまま眠れず目が冴えてしまい、泣きはじめてしまうのです。これが夜泣きです。親はそのたびに熟睡状態からたたき起こされ、かわいいわが子をなぐさめ、また寝かしつけなくてはなりません。

夜中に子どもが二〜三回泣くだけですむ運のよい親もいますが、夢から目覚めるたびに、つまり七回あるいはそれ以上の回数、目を覚ましては泣きはじめる子どももいます。

悪い夢を見たのではないかと心配する人も多いようですが、子どもが泣く原因は実はまったく別のところにあります。

よりによって、なぜわたしの赤ちゃんが夜泣きをするの？

みなさんもここまで読んで「では、レム相が終わるたびに目を覚ますのはなぜか」と思うでしょう。そして、多くの子どもはそのまま眠れるのに、なぜ自分の子どもは毎回泣きはじめるのだろうかと思うでしょう。

まず最初の質問にお答えしましょう。

原始人は夜中に、現代人ほど安全な場所で過ごすことはできなかったと想像するのはたやすいことでしょう。人類は小屋の中で眠るようになる前は、おそらく野天でうずくまり、野獣に囲まれながら眠っていたはずです。

つまり、一晩中熟睡することは非常に危険だったはずです。夢を見るレム相に入るたびに一度目を覚まし、すぐに危険に反応できるような体勢に戻すことで命が救われたことが何度もあったでしょう。つまり「危険信号キャッチシステム」を内包している睡眠パターンこそ、人類を絶滅から救ってきたのです。

わたしたちも、レム睡眠中は怪しい物音や、たとえば何かが焦げる臭いなどに気づき、目を覚ますことができます。目を覚ますたびに、わたしたちはまわりに異常がないかどうか確認します。実は赤ちゃんも幼児も同じことをしています。

ここまで説明してきて、いよいよ二番目の質問の回答にたどりつきました。

赤ちゃんも夜中に目を覚ますたびにまわりの状況をチェックしているのです。「寝心地は大丈夫かな?」「息は苦しくないかな?」「暑すぎるかな?」「寒すぎるかな?」「何か痛いところはあるかな?」。つまり、自分の身体の機能に異常がないかどうか確認するわけです。これは非常に重要なことです。でも、それ以外にまわりもチェックしています。「ネンネをする前に比べて、何か異変はないだろうか?」「環境は〈安心〉できるものかな?」と。

さあ、ここで赤ちゃんになったつもりで想像してみてください。

ヴァネッサちゃんのような月齢六カ月の子どもだとしましょう。お母さんがベッドに入れてくれましたが、ヴァネッサちゃんはまだ目を覚ましています。お母さんはおやすみなさいのキスをして子ども部屋を出ていきます。ヴァネッサちゃんはいつものように身体を縮め、好きな毛布に潜り込み、親指をしゃぶったりしながら寝つきます。

三時間後に目を覚まし、環境に異常がないかチェックします。大丈夫、いつものベッド、いつもの毛布、親指、全部そろっています。異変はありません。「警報システム」は作動させなくて大丈夫です。またネンネします。お昼寝のときだけでなく、夕方も、夜中も、いつも「大丈夫」なのです。

では、同じく月齢六カ月のティムくんになってみましょう。ヴァネッサちゃん同様、ティムくんもまだ完全母乳で育てられています。ヴァネッサちゃんは、生後三カ月を過ぎたあたりから、目が覚めているときにベッドに入れられていました。これに対しティムくんは生まれたときからおっぱいをくわえたまま寝ついています。昼間も夜もそうです。

お母さんはティムくんをだっこして、揺り椅子に座り、静かにティムくんを揺らしてくれます。ティムくんはいつも幸せにネンネし、十分か十五分もすればベッドに移されても目を覚ましません。

ティムくんも三時間後には目を覚まします。身体に異常はありません。でもどうしたことでしょう。お母さんがいないじゃないですか。お母さんのぬくもりもにおいもしません。揺られてもいません。そしてなによりも、おっぱいはどこへ行ってしまったのでしょうか。つい今の今まで気持ちよくしゃぶっていたはずのあのおっぱいはどこでしょう？　ティムくんはヴァネッサちゃんと同じようにまわりに異常がないかチェックしました。でも、ティムくんの警報システムはアラームが鳴りっぱなしの状態になっています。大変、大変、異常事態！　ネンネをしたときの大事なものが全部消えてなくなってる！

ティムくんは目が冴え、必死で声を張りあげて泣きはじめます。しばらくすると寝ぼけたお母さんが登場し、ティムくんを抱き上げ、揺り椅子に座りおっぱいをくれます。ティムくんは安心します。「そう、こうでなくっちゃ」「これで大丈夫」と思うのです。

おなかがとくに空いているわけではありませんが、揺り椅子で心地よく揺られ、気持ちよくおっぱいをしゃぶりながら、またネンネします。同じことは夜中の一時、二時半、三時半、四時半、五時、そして五時半に繰り返されます。

ティムくんはいつもご機嫌で、明るい健康な赤ちゃんです。両親はティムくんが同い年の子どもに比べ何でも早く覚えることが自慢で、とても幸せです。でもひとつ、ティムくんは学べていないことがあるのです。ティムくんはまだ、ひとりでネンネができないのです。

ティムくんがこれまで学んだのは、「夜中に目を覚ますと、まわりの様子は眠る前と必ず変わっている。またいつもどおりの眠る前の態勢にするには、大きな声を出してお母さんを呼ぶ。お母さんがすぐに来てくれないときには、ふだんよりもっと大きな声を出して、長く呼ぶ。

がんばれば、必ずいつもの大丈夫な態勢をつくってくれる」ということです。ティムくんが「大丈夫」と安心できる環境を求めるのは当然のことです。そして、その目標を達成するためにどうすればよいかも学んでいます。ティムくんはちゃんと勉強しているのです。

ティムくんのお母さんは、夜中に何度でもティムくんが眠れるようにと手助けをしています。授乳はほかの人に代わってもらうわけにはいきません。そのため、誰かと交代することもありません。でも、どんなに献身的にティムくんに接してみても、疲労困ぱいするばかりで事態は改善しません。

むしろその逆です。彼女がどんなに献身的に尽くしても、状況は悪くなるばかりです。ティムくんは、親の力を借りずに寝つくことが少しも危険ではないと、学習する機会を与えられていないのです。それさえわかれば、ティムくんも夜通しひとりで眠れるようになります。

ティムくんのように、昼間も夜中も親の力を借りなければ眠れない子どもはたくさんいます。四歳ぐらいになれば「何かが足りない」「変だ」と思った状態を自分でなんとか直せるようになります。そのため、四歳以上の子どもの夜泣きはまれです。でも二歳以下の子どもの夜泣きはよくあることです。

大半の場合、原因は、自分では整えることのできない環境でしか寝つけないというクセがついていることにあります。

ロバートくん（六カ月）はひとりで寝つきますが、寝入るときにおしゃぶりが必要でした。そのため、お母さんは毎夜一〇回ほど起きだしては、ロバートくんにおしゃぶりをくわえさせなければなりませんでした。まだ、自分ひとりでおしゃぶりを探せないからです。

ティルくん（十カ月）もベビーベッドでひとりで寝つきますが、哺乳びんが必要です。一晩に必要な哺乳びんの数はしだいに九本に増えていきました。

ジーナちゃん（十五カ月）は、寝る前の哺乳びんがしだいにエスカレートして、ついには夜中にオートミールが一リットル（！）必要になってしまいました。

キリアンくん（十二カ月）を眠らせるには、だっこして、家の中を歩きまわらなくてはなりません。夜中は一時間おきに二十分ずつ。

ヤニックくん（八カ月）は、大きな体操用のゴムボールがないと眠れませんでした。夜の就寝時と夜中に数回、お母さんかお父さんがヤニックくんをだっこしてこのゴムボールに座り、ゴムボールに乗って少なくとも十分間飛び跳ねているうちに、ヤニックくんは眠りはじめるのでした。

レーナちゃん（十一カ月）は、生まれてから一度もベビーベッドで寝ついたことはありません。必ずお母さんのベッドでおっぱいをしゃぶりながら寝つくクセがついています。夜中には六回起きます。

フロリアンくん（十二カ月）はおっぱいをしゃぶるだけでなく、お母さんの髪の毛をいじらないと眠れません。

アニーナちゃん（六カ月）は、昼間も夜も夜中も、特別のハンモックに入れて揺らさないと眠りませんでした。

部外者が見れば、これらの例のなかには滑稽に思えるようなこともあるでしょう。でも、これらはすべて、途方に暮れた親がとにかく子どもを眠らせようと涙ぐましい努力の末に絞り出したアイデアなのです。

シュテファニーちゃんのお父さんは、身長一九〇センチもある大男ですが、毎晩娘のサークルベッドに入って添い寝をしていました。

親によっては、敷物のようになって子どものベッドの前の床で寝そべったり、あるいは真夜中に子どもを自動車に乗せてドライブに出かけたり、あるいは夜中に狭いアパートの中でベビーカーを押したりしています。真夜中なのにわざわざ掃除機をつけたり、テレビをつけたりする人もいます。

でも、これらの「寝つくための手助け」は、逆効果です。だからこそ、子どもは一晩通して眠ることを覚えないのです。こうして寝ついたからといって、一時的な「成功」にすぎません。

本来、寝つくことは赤ちゃんが自然にもって生まれた能力のひとつであって、ひとりでも眠れるようにしてあげれば、誰だって眠れるものなのです。

前述（一六四ページ）のヴァネッサちゃんは夜中ひとりでも平気です。大好きな毛布も、自分の親指も、自分ひとりで探して確認できます。生まれたばかりのころから目が覚めているときにベッドに入れられていたため、ひとりでいることを異常とは感じず、安心しています。

毛布やぬいぐるみは眠りにつくときにとても役立ちます。

いずれも暗やみでも手探りで確認できるからです。おしゃぶりを与えなければ、親指をしゃぶりはじめる子どももいるでしょう。ですが、私たちはそれでもかまわないと思っています。「親指がよくない」という説がどんなにたくさんあっても、親指をしゃぶる子で夜泣きをする子は少ないのです。

アンナレーナちゃん（一歳）のような特殊な例もあります。生まれたときからベビーベッドでひとりでも簡単に寝つくのですが、最近、夜中に大きな哺乳びんでお茶とミルクを一本ずつ飲むクセがついてしまいました。就寝時は何の助けもいらないのに、夜中にはお茶とミルクの哺乳びんがないと泣くのです。

就寝時と夜中を区別しているのは、とても賢いことです。

アンナレーナちゃんのような子どもの習慣を変えるのはとても簡単です。ほかの子どもが一から覚えなくてはならない「ひとりで寝つく」ことは、もうできるからです。

子どもの習慣を変えようと思ったらどうすればいいかは、第3章でくわしく説明しました。この章の最後に、最近あるお母さんが話してくれた逸話を紹介しましょう。

ラウラちゃんは、いつもとてものんびりとした手のかからない子どもです。生まれたときから四歳になるまで、両親のベッドで寝ていました。寝相もよいので、両親はまったく気になりませんでした。

ところが四歳になったとき、ラウラちゃんはまじめな顔で「もう大きくなったから、これからはひとりで自分のベッドで寝る」と宣言し、早速実行したのです。

これで眠れなくなったのはお父さんでした。ラウラちゃんは生まれてからずっと、眠っているあいだお父さんの背中にくっついていました。お父さんはこの感覚に慣れていて、ラウラちゃんがいなくなってからは、夜中に目が覚めるたびに目が冴えて眠れなくなってしまったのです。お父さんの「警報システム」がアラーム状態になったわけです。

そこで、ラウラちゃんをまた親のベッドに連れ戻そうとしました。何度頼んでも「自分は大きくなった」といって娘がいやがるのを見て初めて、お父さんはあきらめ、娘が背中にくっついていなくても一晩通して眠ることをあらためて学ばなくてはなりませんでした。

まとめ

●生後六カ月を過ぎると赤ちゃんは昼夜の区別がつくようになる

六カ月を過ぎると、赤ちゃんは昼夜の区別ができるようになり、睡眠パターンは、おとなと似たようなかたちをとるようになります。

十一時間続けて眠れるようになり、夜中に何かを飲む必要もなくなります。

●夜中に目が覚めるのは自然なこと

睡眠は単一の状態ではありません。夜、熟睡相と夢を見るレム相の状態が交互に訪れ、夢を見るレム相が終わるたびに軽く目を覚まします。これは自然なことです。

●寝つきのクセによっては、一晩通して眠れなくなることがある

レム相が終わって目を覚ました後で、ひとりでは寝つけない子どもは大勢います。そのたびに親を呼んで泣くのです。このような子どもは「障害」があるのではなく、そうすることを「勉強」してしまった賢い子です。

ネンネをするとき、特定の環境を整えなくてはならないと思っているのです。もちろんこの環境は日中だけでなく、夜もそろえなくてはならないと思っています。そして泣けば、親がその環境を整えてくれると知っているのです。

●ひとりでまた眠りに戻れる子どもは、夜も通して眠れる

自分のベッドでひとりで寝つく習慣のある子どもは、夜中に起きることがあまりありません。もちろん、このような子どもでも夜中に何度か軽く目を覚まします。でも、ひとりでも安心してまた眠れるので、親を呼ぶ必要がないのです。

第5章

親を心配させる睡眠障害

この章のポイント

●夢遊病と夜驚症とはどういうものか、そしてそのような症状が出た場合の対処の仕方
●子どもが夜こわがったり、悪夢を見たりしたときにはどう対応すべきか
●悪夢と夜驚症の区別の仕方

子どもの睡眠障害の大半は、就寝のときのクセと関連しています。これまでの章では、これらの睡眠障害の原因や直し方の方法をくわしく説明しました。でも、まれに寝つくときのクセとは関係なく、特別の原因によって睡眠障害を起こしていることがあります。そのような場合には、親は違った対応をしなくてはなりません。

夢遊病と夜驚症について

第4章の図表10では、月齢六カ月を過ぎた子どもの睡眠がどのような経過をたどるかを示しました。

すでに説明したように、寝入ってからの最初の三時間のあいだには、どんな子どもでも一〜二回、熟睡状態から不完全に目を覚ますことがあります。この図の例では矢印でマークした夜の九時半と十時半に目を覚ましています。この不完全な目覚めは、たいていの子どもの場合、まわりはほとんど気づかないものです。寝返りを打ったり、目をちょっと開けたり、よくわからないことをつぶやいたりしますが、すぐにそのまま眠りつづけます。たいていの場合は問題なく再び熟睡相に移行できるのです。

脳波計で脳波を測定すると、この様子を次のようにとてもはっきりと観察できます。熟睡相から意識が戻りはじめるとき、脳波が大きく動きます。目を覚ましているときの覚醒相、夢を見ているときのレム相、そして熟睡相のパターンが一時的に交ざります。そして、しばらくするとまた熟睡相に戻るのです。

六歳以下の子どもの一〇人にひとりくらいに、この睡眠相の移行がスムーズにいかない場合があります。熟睡相に戻るべきところが、しばらく覚醒相と睡眠相が混乱した状態が続くのです。このような状態にあるときの子どもは、当然異様な感じを受けます。寝言をいうといった軽度のものから、いわゆる夜驚症といわれる症状まで、あらゆる混乱状態が考えられます。寝言というのは、実は夢を見ながらしゃべるものではなく、熟睡相から完全に目が覚めていない状態で話すものなのです。

寝言くらいでおどろく親はあまりいないでしょう。でも、夢遊病や夜驚症は、親を非常に不安にすることがあります。この異常がしょっちゅう起きる場合には、親は子どもがどうかしたのではないかと心配してしまいます。

以下のページに説明した子どもの行動に共通することは、こんな症状が六歳以下の子どもにあらわれたとしても、精神的にはまったく異常はないという点です。こういう症状があらわれても、普通の場合なら子どもが心を病んだり、恐怖を抱えていることはありません。脳がまだ未熟なだけです。知能とは関係ありません。ただ、熟睡相から覚醒相に移行することがうまくできないでいるのです。

ほかの子どもよりも脳が成熟するのに時間がかかっているとしたら、それは主として遺伝的な資質です。夢遊病や夜驚症の子どもには、ほかにも似たような体験をもつ家族がいる可能性が高いでしょう。

起き上がって歩きまわる夢遊病

「静かな」夢遊病では、子どもはむっくり起き上がり、部屋や家の中を歩きまわります。よくある例は、まったく無意識のうちにトイレに行くというパターンです。

わたしの長男のクリストフは、六歳のときのある夜、トイレと寝室のドアをまちがえました。寝室には、小さな踏み台の上にクリストフのカセットレコーダーが置いてありました。クリストフは眠ったままこのレコーダーのフタを開き、そこにおしっこをして、ふたを閉め、またベッドに戻りました。翌朝はまったく何もおぼえておらず、「自分ではない」と言い張りました。

就寝後一〜三時間以内に子どもがおねしょをする場合も、この熟睡相から覚醒相へ移行するときのトラブルが原因であることが珍しくありません。ほかにも例があります。

ある朝起きてみたら、クリストフがベッドにいませんでした。わたしたちはその晩にかぎって玄関のドアに鍵をかけていなかったので、慌てました。幸い、クリストフは屋根裏部屋で見つかりました。ソファの前にひざまずき、ぐっすり眠っていました。

「静かな」夢遊病の子どもは、ドアや窓を開けたり、ベランダの柵を乗り越えてしまうことがあります。こんな子どもは常に危険にさらされています。一見意味のある、目的をもった行動をとっているように見えるのですが、実は同時に眠っているのです。本人は自分が何をやっているのか知らないのです。

夢遊病の子どもへの対応策

- 夜中に子どもがけがをしないように、窓やドアには鍵をかけ、安全に気をつけます。
- 夢遊中の子どもでも、子どもによっては話しかけると反応することがあり、そういうときは抵抗することなくベッドに連れ戻すことができるので試してみましょう。

叫んだり泣いたりする夜驚症

夢遊病に似ていますが、親をより心配にさせるのは夜驚症です。子どもが就寝してから一～四時間たったころに、恐ろしい声で叫んだり泣きはじめたりするのです。最悪のケースでは暴れ、親にも襲いかかってきます。子どもに触ったりなぐさめたりするのも、至難の業です。子どもは目を見開いていますがあらぬ方向を見つめ、親の顔もわからないようです。起き上がって何かから逃げ出すようなそぶりを見せたり、汗をぐっしょりかいて脈が速くなっていることもあります。

夜驚症の発作は短いこともありますし、二十～三十分も続くこともあります。始まるのも突然なら、終わるのも突然です。子どもは突然おとなしくなり、素直にベッドに連れ戻され、すやすやと眠りはじめます。夢遊病と同じで、翌朝になると何も覚えていないでしょう。

幼児でも夜驚症の発作を起こすことがあります。

マークくんは、月齢十五カ月でした。両親はマークくんの成長にとても満足していました。夜、子守り歌を歌った後でいつも八時ごろには寝つき、朝の七時半ごろに目を覚まします。とても安定したおっとりとした性格であることを両親はとても喜んでいました。でも、ひとつだけ気になることがありました。一週間に二～三度、ちょうど両親が床につこうとする十時くらいになると、子ども部屋から恐ろしい叫び声が聞こえてきます。両親が慌てて子ども部屋に行くと、マークくんはベビーベッドの中で立ち上がり、叫びつづけています。

両親は安心させようとすぐにだっこします。でも、マークくんは絶叫しつづけるばかりか、両親の腕を振り払い、必死で逃れようとします。目はあらぬ方向を見つめています。心配になって両親は、マークくんを起こそうと、身体を揺すったり、名前を呼んだりするのですが、どんなに必死になっても、この状態は十～十五分間ほど続きます。目を覚ますとマークくんはとても困惑して両親の顔を見ます。その後は、なかなか寝つけなくなってしまいます。

マークくんの両親は、マークくんの「恐怖」を分析しようとしました。日中何か興奮するような出来事があったのだろうか、悩みでもあったのだろうかと、夜中に発作を起こす原因を探しました。

わたしたちは、マークくんの発作が、昼間の出来事や悩みなどとはあまり関係のないものであることを説明しました。マークくんは単に、熟睡相に戻る前に睡眠と覚醒の中間にとどまる時間が長い子どもなのです。もちろんマークくんの行動は異様に映ります。でも、本当の意味で恐怖を感じているのではないので、親のなぐさめもとくに必要ではないのです。本当に何かの恐怖や不安を抱いているのだったら、目が覚めたら一瞬のうちにその気持ちが消えてしまっていることはありえません。また、なぐさめを必要としているのなら、親の腕を振り払うことはなかったでしょう。

マークくんの両親にいえることは、すさまじい声をあげていても、マークくんは決して恐怖やパニックに陥っているのではないということです。うまく目が覚めていないだけなのです。こんな子どものためにしてやれることは、行動をじっくり観察し、発作がおさまるまで静かに待つことです。

両親は、相談の後、そのように実行しました。はじめに落ち着かせようとして声をかけてもだめだったときには、子ども部屋のドアの陰に隠れてマークくんを観察してみました。おどろいたことに、マークくんは親が助けてやろうと話しかけたり働きかけたときよりも早く静かになりました。そこで、もう起こすのはやめ、静かになったら枕を直し布団をかけて、そっとしておくことにしました。

マークくんの夜中の発作はしだいに短く、そして回数も減っていきました。三歳になってからは、ほとんどなくなっていました。両親は、わが子がそういう不思議な状態になっていても、それが危険なことではないことを知り、落ち着いて対処できるようになりました。この現象は、成長すればそのうち消えるものです。

もうひとつ例を挙げてみます。

オリバーくんは三歳でした。二日に一度は夜十時ごろに大きな声で叫び声をあげます。あるいは急に部屋の中を歩きまわり、聞き取れないような寝言をぶつぶついっています。両親が断片的に聞き取れるのは「あっ、また来た！」とか「ほら、そこにいる！」というような言葉です。

親の顔もわからず、まるで何かに憑《つ》かれたみたいで、両親はとても心配していました。起こそうとしてもなかなかうまくいきません。翌朝「夜、何かこわいことがあったの」と聞いても、オリバーくんは何も覚えていません。ぽかんとしています。

オリバーくんの両親には、翌朝になってから夜中の叫び声について質問しないほうがいいというアドバイスをしました。親がしつこく心配そうな顔で子どもの忘れていることを聞いたりすれば、子どもが不安になる危険がありますし、「自分はどこかおかしいのだろうか」と思ってしまいます。何も覚えていないのですから、親が何を心配しているのかはまったくわかりません。不安な気持ちにさせてしまうことは、子どもにとってはかえって有害でしょうし、安眠を促進するとも思えません。

オリバーくんの両親にはもうひとつアドバイスをしました。それは、オリバーくんの睡眠時間が一日十時間しかないので、毎日昼寝をさせるということです。

マークくんやオリバーくんのような子どもにとって、充分な睡眠と規則正しい生活のリズムはとても大切なことです。子どもは疲れきっているときには、とくに深く眠ります。そうすると、半覚醒相に戻り、そしてそこからまた熟睡相に戻ることが、スムーズにいかなくなってしまうことが多いようなのです。つまり、移行に失敗する確率が高まります。夢遊病や夜驚症は、半覚醒相に「引っかかっている状態」ということができます。もちろん、このような資質をもっている子どもだけにあらわれる現象です。

夜驚症と呼ばれるこの睡眠障害に関する最も重要な情報を、以下にもう一度まとめてみましょう。

夜驚症の子どもへの対応策

●あなたの子どもが六歳以下なら、頻繁に夜驚症の発作を起こしたとしても、心配する必要はありません。子どもが深刻な問題や心の病を抱えているということはほとんどありえません。睡眠の経過がまだ完全に成熟していないことが原因でしょう。もちろん、子どもが昼間でもとても何かをこわがっていて、緊張しているような印象を受けたら、医者に相談したほうがよいでしょう。また、子どもが七歳を過ぎても夜驚症の発作をしょっちゅう起こすようなら、専門家の助けを借りるべきです。

●六歳以下の子どもの夜驚症は、親が何もしないほうが早く改善されます。子どもがあなたのなぐさめを拒絶するようであれば、身を引いて見守ってあげてください。叫んでいるあいだは、念のためそばにいて見守ってあげましょう。

●子どもを起こさないでください。翌日根掘り葉掘りどうしたのか聞いたりしないこと。

●子どもが充分に、そして規則的に眠れるような環境を整えてください。場合によっては、昼寝をさせることも必要かもしれません。

●夜驚症は、夢遊病と一緒で、「治療」すれば「治る」というものではありません。ここに挙げたヒントを参考にして生活を変えれば、少し状況が改善するかもしれません。でもあなたは、子どもの夜驚症をその子の資質の一部としてある程度までは受け入れ、成長すれば解決する問題と考えてのんびりと構えるべきです。

●夜驚症の発作は、普通寝入ってから四時間以内に起きるものです。悪夢とは関係ありません。夜驚症と悪夢の区別は、この章の最後に説明します。

夜中に不安がったり悪夢を見たりする子について

どんな子どもでもときどき夜、ベッドに入ってからこわくなったり、悪夢を見たりするものです。不安や悪夢は、日中子どもが体験したことや見聞きしたことなどにも原因があります。

寝る前の不安

昼間とても明るく、楽しげにしていた子どもでも、暗くなると不安になり、こわくなったりすることがあります。夜は暗く、静かです。ひとりでベッドに入ってじっとしているときは、おもちゃや友だちのように、気をまぎらしてくれるものがありません。自分の気持ちや空想にひとりきりで対峙《たいじ》することになります。

子どもたちは、日中新しく見たり聞いたり、兄弟げんかをしたり、お母さんから一時的に離れていたり、そのほかたくさんの体験をします。幼児や幼稚園児の場合、おとなにとっては平凡な一日を過ごしたと思えることも大変な体験に感じられて気持ちがうまく処理できないことだってよくあります。引っ越し、弟や妹の誕生、幼稚園への入園、家族のけんかなどといった体験をすれば、なおさらのことです。ひとりでベッドに入った途端、「お姉ちゃん」のはずの六歳の長女がまるで二歳か三歳の「ちっちゃな」甘えん坊になったりすることはよくあります。就寝時間を遅らそうと、言い訳を見つけてくるかもしれません。あるいはあなたを部屋に引き止める口実を見つけるかもしれません。

子どもが不安な気持ちになる原因はたくさんあります。子どもは、まだ自分の気持ちをうまく整理することができません。本当は何が不安なのか、自分でもわからないことが多いでしょう。おばけがこわいとか、モンスターがこわいという表現をするかもしれません。こんなときのモンスターは、子どもが日中に体験した恐怖やうまく対処できなかった危機への身代わりとして登場するものです。もちろん、テレビで見たモンスターやおばけが夜になってから登場することもあるでしょう。どんなにテレビを見慣れていても、たとえばアニメに出てきた怪物やその他のキャラクターを、どんな子どもでも必ずすべて処理しきれるとはかぎりません。

子どもが不安や恐怖を感じているとき、親はどのように対処すべきでしょうか。もちろん、ケース・バイ・ケースで、どの子も特別な対応を必要としています。それでも、ここであえて一般的なアドバイスをするとしたら、次のようになります。

悪夢を見る子どもへの対応策

● 一歳を過ぎると、多くの子どもは暗やみをこわがるようになります。真っ暗やみは子どもの想像をかきたてるので、夜中に目を覚ましたときに見慣れた環境が違って見える可能性があります。夜は小さなライトをつけておくか、隣の部屋から光が入るようにして、子どもにいつでも自分の位置や部屋の輪郭が見えるようにしてあげましょう。

●夕方になって子どもが日中に比べ不安そうにしたり、こわがったりしても叱らないでください。「赤ちゃんじゃあるまいし」とか「何こわがってるの」といってみても、子どもを助けることにはなりません。

●夜、子どもがこわがっているときに、子どもの抱えている不安や悩みをくわしく議論するのもやめたほうがいいでしょう。子どもが不安そうに、おばけ、どろぼう、怪物などの話を始めたら、寝る前の一緒に過ごすひとときをふだんよりも長くするのはいいことでしょう。でも、「おばけや魔女などいない」と延々と説明したり、そのことを証明するためにおばけ探しに乗り出したりはしないこと。

●そんなことをするよりも効果的なのは、「お父さんやお母さんがここにいて守ってあげるから大丈夫だよ。大事な子どもなんだから絶対にこわい思いはさせないよ」といって安心させることです。そういいながらしっかりと抱きしめてあげるのも効果的です。

あなたが自信をもって「大丈夫」といったほうが、延々とおばけがいるかいないか議論するよりも子どもは安心できるでしょう。子どもが不安そうにしているとき、実は親に「守ってください」とアピールしている場合が多いのです。自分が小さく弱く感じられ、親の庇護を求めているのです。そんなときにはあなたが落ち着いた態度で自信をもって「大丈夫」といってあげることが、子どもを一番安心させることになるはずです。

●ふだん元気な子どもが珍しく不安になり保護を求めてきたときには、あなたはおやすみなさいの儀式を変更して、自分のベッドに入れてあげたり、添い寝をしてあげましょう。雷が鳴っていたり、子どもが不安になるような体験をしておびえていたり、あるいは重い病気にかかっているときには、とくにそうする必要があるでしょう。

もちろん、例外がいつの間にか新しい就寝のクセをつくってしまうこともあります。「こわい」ことを理由に、子どもが意識的におやすみなさいの儀式を引き延ばしたり変更したりすることもあるからです。子どもは「おばけの話をすると、お母さんが眠るまで一緒にいてくれる」と思うことがあります。本当にまだこわいのか、あるいは意識的に「おばけがこわい」といっているのか、区別するのは難しいときもあります。そんなときには、子どもの反応が重要なヒントになります。子どもが昼夜を問わず、こわいものの話に関心があるかどうか。昼間も関心を示す場合には、本当に悩みを抱えている可能性が高いと思います。昼間のうちに問題の原因を探ってみてください。

また、おやすみなさいの儀式は、例外を除いては原則的にいつも同じパターンが守られるべきです。毎晩寝る前に子どもの話を聞いてやり、心配事や不安を受け入れ、あなたがかわいいと思っていることを話し、守ってあげることを約束します。そして、子どもの不安に翻弄されないところを見せることが、一番子どもを助けることになるでしょう。

これまでは、「普通」の不安感や恐怖心の話をしてきました。このような「不安」は子どもをときどき泣かせたりすることもあるでしょうが、パニックとは根本的に違います。

パニックに陥っている子どもは母親にしがみつき、ヒステリックに泣き叫び、ひとりにならないですむのなら何でもするという態度をとります。このようなパニックに陥っている子どもに対して、親がかたくなに規則を守らせようとすると事態は悪化するだけです。

すごく恐怖を感じている子どもには、親が常時、場合によってはスキンシップをともないながらかまってやる必要があります。このような子どもは深刻な悩みを抱えています。恐怖の原因を見つけ、解決するまで親の庇護と支援を必要としているのです。親だけではわからない場合には、専門家の助けを借りることも大切です。

悪夢を見た子は、なぐさめてあげる

悪夢につながる恐怖は、寝る前の不安と似ています。悪夢も昼間のトラブルや体験に原因があります。三〜六歳の子どもが一番よく悪夢を見るようです。この年齢になると子どもは怒りや恐怖、罪の意識など、自分の感情を意識するようになるのですが、まだ理性的に気持ちを処理できないのです。

夢の中でこれらの感情が、時には奇想天外なかたちで処理されます。小さな子どもにとり、こわい夢は本当にこわいものです。まだ現実との区別がよくわからないので、悪夢から目覚めてからも、夢の中の「こわいもの」に追われていると感じてしまいます。悪夢から目覚めた幼児はなぐさめてあげなくてはなりません。

三歳以下の小さな子どもをなぐさめるときに一番効果的な方法は、しっかりと抱きしめて、「大丈夫。お母さんがここにいるから大丈夫。もうこわくない」といってあげることです。もう少し大きな子どもなら、夢だということを教えたり、「こわい夢を見たの」と聞いたりして、こわいと思っているものに距離をもたせることも意味があります。でも、本人が「話したくない」という夢は無理に話させないでください。

常夜灯は、子どもが夢から覚めたときに自分がどこにいるのか確認するときに役立ちます。また、親のベッドを探すときにも便利でしょう。

どんな子どもでもときどき悪夢を見ます。でも、長い期間毎日、あるいはほとんど毎日悪夢にうなされるようなら、「何か深刻な悩みを抱えているのでは」と疑いましょう。夜中に悪夢について議論するのではなく、昼間のうちに原因を探り、なかなか解決しないようなら専門家の助けを借りましょう。

もうすぐ四歳になるラルフくんも二週間くらい前から毎晩悪夢にうなされています。一回めは、夜中の二時ごろ目が覚め、パニックに陥ったような声で泣き叫び、洋服だんすを指さして「そこにサカナがいる」と主張しました。身体を縮めて母親にすがりつき、リビングルームに行きたがり、こわがって泣いていました。そしてその夜は朝まで眠れませんでした。

それからの二週間、お母さんは毎晩ラルフくんの横で寝なくてはなりませんでした。電灯もつけっぱなしで、眠りにつくのも大変遅くなってしまいました。毎晩夜中の二時から三時のあいだに目を覚まし、泣いてサカナの話をします。その後何時間も起きています。お母さんがラルフくんとリビングルームに行くと、ジュースを飲みたがり、そして「物語のカセットが聞きたい」といいました。

ここへきて、ラルフくんのお母さんは迷いを感じました。最初の幾晩かは、ラルフくんが本当にパニックに陥っていると確信していました。でもしばらくしてからは、ちょっと様子が違うと思ったのです。それに、毎晩夜中に起きて子どもにつきあってなぐさめているのに、事態が少しもよくならないことにいらだちも感じはじめました。

ラルフくんは、日中もどちらかといえば臆病な子どもです。蚊やクモ、その他の昆虫を見ただけで、パニックになるようなことがありました。そのため、お母さんにはひとまず子どもが何かを恐れた場合に、どう対応するのが一番よいかといったアドバイスをしました。

ラルフくんの夢に、なぜサカナが登場したのかは、最後までわかりませんでした。でも、わたしたちは一緒に、「治療のための」メルヘンを考案しました。

このお話のなかではラルフくんにとてもよく似た小さな男の子が、とてもやさしいきれいな色のサカナと友だちになります。ラルフくんの悪夢の主人公であるサカナがまったく別の役まわりで登場するお話です。ラルフくんのお母さんは日中、何度もラルフくんにこのお話を話して聞かせました。

ラルフくんの場合、夜中に何時間も起きていることが、本当にまだ恐怖と関係しているのか、それともお母さんにかまってもらうための口実になっているのか、なかなか区別が難しいものでした。いずれにせよ、ラルフくんのためには、お母さんが自信をもってひとつの方針を実行することが一番よいだろうということになりました。

ラルフくんのお母さんは、しばらくラルフくんを親のベッドに寝かすことにしました。常夜灯をつけて、その代わり大きな電灯は消すことにしました。夜中にラルフくんが目を覚ましても、お母さんはサカナの話はもう取りあわず、次のような言葉をやさしい口調で繰り返すことにしたのです。

「大きな電灯はつけなくても大丈夫」

「お母さんがここにいるから大丈夫。ネンネしなさい」

「起きなくても大丈夫。横になっていなさい」

「お母さんが気をつけているから大丈夫。ネンネしなさい」

お母さんとラルフくんは、もう別の部屋に移るのはやめました。何かを飲んだり、カセットを聞いたりといった気をまぎらすようなこともやめました。夜起きている分の睡眠不足を寝坊をして睡眠を補うことのないように、朝は起こすことにしました。

二晩めからラルフくんは比較的早くまた眠れるようになりました。夜中の睡眠もはっきりと改善されました。一晩めはラルフくんは二時間ほど泣いていましたが、二晩めからは二時ごろに目を覚ましてサカナの話をするものの、パニックに陥ることも泣くこともなく、十〜三十分間のうちに眠れるようになりました。

悪夢と夜驚症はどこが違うの？

悪夢はレム相で見るものです。子どもは夢の最中ではなく、夢を見終わって目を覚まし、それから泣きはじめます。このとき、子どもは完全に目を覚ましています。レム相は、就寝後三

	悪夢	夜驚症
特徴は？	こわい夢 レム相で見る 見終わった後に目が覚める	熟睡相からの目覚めが不完全な状態で起こる
親はいつ気づく？	夢を見ているあいだではなく、夢を見終わった後に子どもが目覚め、泣いたりこわがったりしたとき	夜驚症の発作で、子どもが絶叫したり、暴れたりしているとき
いつ起きる？	子どもが一番よく夢を見る明け方	就寝後1～4時間のうち
子どもの様子は？	たいていの場合は目を覚まして泣きはじめ、起きてからもこわがる	ベッドでむっくりと起き上がるか、立ち上がる。暴れたり、身を投げ出したりする。何かを口走り、泣いたり、叫んだりする。同時にとてもこわがっているそぶりを見せる。混乱しており、脈が速くなっていたり、冷や汗をかいたりする。目が覚めるとぴたっとやむ
親に対してどんな態度をとる？	親を見ると安心して、すりよってくる。親になぐさめてもらう	親を見てもわからず、なぐさめさせない。身体に触れることを拒絶する
どうやってまた眠りに戻る?	恐怖のため、なかなか眠れないこともある	完全に目が覚めないうちにころっと寝てしまうことがある
翌朝覚えている？	年齢がある程度大きくなっていれば、覚えていて翌朝話してくれることがある	通常まったく記憶がない。叫んだことも暴れたことも覚えていない

図表11　悪夢と夜驚症の違い

時間以降に始まります。睡眠時間の後半になると、レム相は回数が増えまた活発になります。そのため、悪夢は明け方見ることが多いのです。

夜驚症は、就寝後一～四時間のあいだに発作が起こります。つまり、睡眠全体の前半に起きるものです。熟睡相から不完全に目を覚ました後、再びスムーズに熟睡相へ戻れないときに起きるものです。睡眠と覚醒の中間にいるために起こる寝ぼけの一種です。この状態で叫んだり、暴れたりしはじめます。

図表11に、ファーバー教授による悪夢と夜驚症の特徴を示しました。

まとめ

●眠っているときに異常な行動をとる子どももいる

どんな子どもも就寝後一～四時間のうちに一～二回、熟睡相から不完全な覚醒相に移行しますが、子どもによってはこの移行に時間がかかることがあります。移行に時間がかかる子どもは、寝言をいったり、静かに徘徊したり（夢遊病）、夜驚症の発作を起こしたりします。夜驚症の発作は、絶叫したり、暴れたりするのでわかります。

●睡眠中に異常な行動をとっても、たいていの場合は心配する必要はない

六歳以下の子どもの場合、このような異常行動は決して精神的な異常ではなく、脳が未熟であるために起こるものです。そんな子どもは無理に起こさず、観察するだけで大丈夫。親がなぐさめようとしたときに暴れるようなら、見守ってあげましょう。

翌朝、根掘り葉掘り理由を聞き出そうとしないこと、規則正しい生活に気をつけ充分な睡眠がとれるようにしてあげること、大きくなれば自然に解決する問題と考えて、ゆったり構えていることが大切です。

●悪夢を見た子どもはなぐさめてあげる

悪夢や夜の不安は、夜驚症とはまったく違うので区別がつきます。夜驚症と違い、悪夢にうなされた後の子どもは、なぐさめを必要としています。親がいつもそばで守ってくれているという安心感が必要なのです。夜中に悪夢の内容や、こわがっているもののあるなしを議論するのは避け、原因は日中探るように心がけましょう。

第6章

親が心配する、そのほかの問題例

この章のポイント

●次のような問題がある場合に親はどうしたらよいのか

・頭を壁などに打ちつけたり、身体を揺らすクセがある

・睡眠時無呼吸症候群

・痛みがあって眠れない場合

・精神障害のある場合

●睡眠障害を治療するときに、くすりを用いることについて

子どもの睡眠について心配を抱えている人は、これまで述べてきた睡眠に関する情報だけではもの足りないと思われることがあるでしょう。

以下に、さらに考えられるおもな心配事を説明します。

頭を硬いものに打ちつけたり、身体を揺らしたりする

次のような子どもの行動も、お父さんやお母さんにはとても心配なものです。


月齢十八カ月のトーマスくんは、寝る前になると、日中でも、夕方の就寝時でも、夜中に目が覚めてまた眠りにつくときでも、ベビーベッドの柵にごんごんと頭を打ちつけます。大きなけがをするようなことはありませんが、ときどきコブをつくったりします。

両親は、ベビーベッドの柵にクッションを取りつけて痛くないように工夫したのですが、トーマスくんは自分でそのクッションを取り払って、硬いところを探しては、何度も何度も頭を打ちつけます。夜中に頭を打ちつける振動で、ベビーベッドが部屋じゅうに動いてしまうので、両親は車輪を外しました。

両親はとても心配しています。孤児院でないがしろにされている子どもや精神障害のある子どもがこのような行動をとることがある（ホスピタリズム）と聞いていたからです。トーマスくんには、何か深刻な障害があるのでしょうか。

寝る前に子どもが四つんばいになって、長い時間身体を前後に揺らしたり、横になってから何度も何度も頭を左右に振りつづけたりすると、親は心配になります。

でも、子どもが頭を硬いものにぶつけようと、頭を左右に振ろうと、身体全体を揺らそうと、たいていの場合は心配ないでしょう。実は、これは多くの乳児や幼児に見られる「普通の行動」のひとつなのです。ほかに目立った発育障害もなく、健康であれば、あまり気にしなくてもかまいません。

このような子どもの多くは、日中でもリズミカルな動きが好きなことが多いようです。音楽を聴かせると、身体や頭をリズムに合わせて揺らしたりします。子どもによっては寝る前になると必ず四つんばいになって身体を前後に揺らしたり、頭を左右に振ったり、頭をぶつけたりすることをクセにしています。

眠くなると自然にそんなふうに身体が動き、寝る前や夜中に目が覚めてからまた寝つこうとするときに繰り返したりします。これは、指をしゃぶったり、親にゆりかごで揺らしてもらわないと眠れないといったクセと同じ類《たぐい》のものなのです。

頭を硬いものに打ちつけるというクセは、実は子ども全体の約五%に見られるものなのですが、親が一番心配するものです。けがをすることはほとんどありませんが、親は「痛いはずなのに」と、とても心配になります。でもこういうクセのある子どもは、頭を打ちつけたときの痛みはあまり気にならないようです。おとなは理解に苦しむのですが、子どもは身体をリズミカルに何かにぶつけたときに得られる「快感」が痛みよりも強く感じられるのでしょう。

寝る前に頭を打ったり、身体を揺らしたりする就寝のクセは、たいていの場合一歳にならないうちに始まります。しばらくすると自然解消することもありますが、なかなか直らないこともあります。一年から一年半のうちにはおさまることが多く、三〜四歳になればやらなくなるのが普通です。

男の子のほうが、女の子よりも頭を打つクセが出やすいようです。もちろん、深刻な精神障害のある子どもや心を病んでいる子どもの場合は、頭を打ちつけるクセのある比率が高いのは確かですが、健康でほかに問題のない元気な子どもがこういうことをしているのであれば、あまり心配する必要はありません。親はあまり気にせずに、変わったクセのあるその子をそのまま受け入れてあげましょう。

そういった子どもには、次のように対処します。

頭を打ったり身体を揺らすクセのある子どもへの対応策

●日中から、子どもがリズミカルに身体を動かせる機会をたくさんつくってあげてください。

●リズムが好きな子どもには、ベビーベッドの横にチクタクと規則的に大きな音のする時計やメトロノームを置いてあげると、安心することもあります。

●ベビーベッドの柵をやわらかいクッションで覆うか、思い切って子どもの布団を部屋の真ん中の床の上に敷いてしまうこと。打ちつけるのに都合のよい、硬いものを探すのが面倒な環境をつくってしまえば、そのうちやめるでしょう。

●子どもが頭を打ちつけはじめたときに、必要以上に心配したり、気をそらせようとかまったりして、「これをやれば親がかまってくれる」と子どもに思われないように気をつけましょう。

章のはじめに登場したトーマスくんのケースでは、頭を打ちはじめると、すぐに哺乳びんを与え、それが習慣になっていました。トーマスくんは、哺乳びんが欲しくなると頭を打つという法則を身につけていました。第3章で説明したやり方で夜中の授乳をやめた途端、頭を打つ回数が激減しました。

まれなケースではありますが、頭を打ったり、身体を揺らしたりすることが、深刻な障害を示すサインであることもあります。次のような条件のあてはまるお子さんに、このようなクセがある場合には、必ず小児科医に相談してください。

・子どもが一歳半を過ぎてから、頭を打ったり身体を揺らしたりするようになった場合
・頭を打ったり、身体を揺らしたりするクセの始まりが、とてもショックだったり、恐怖を感じたり、動揺したりした出来事と重なっている場合
・三～四歳になっても、クセが直らない場合
・子どもの発育が全体的に遅れている場合

睡眠時無呼吸症候群《むこきゅうしょうこうぐん》について

ユリアちゃん（五歳）は、半年前からいびきをかくようになりました。壁の薄い家で、両親は夜中に何度も大きないびき声に起こされるようになりました。

六週間ほど前、両親はユリアちゃんがいびきといびきの合間に、数秒間まったく何の音もたてないことがあることに気づきました。その後、気をつけていると、この音をたてない時間の

回数が増えていくのに気づきました。また、ユリアちゃんが日中でも機嫌が悪く、疲れていることが増えていきました。

これは、睡眠時無呼吸症候群の典型的な一例です。十秒以上のあいだ、鼻や口を通して息をするのをやめてしまう点が特徴です。

たとえば、未熟児の場合は、脳にある呼吸リズムの調整機能が未熟なため、呼吸リズムが安定しないことがあります（これは中枢型睡眠時無呼吸症候群と呼ばれています）。

ですが、ユリアちゃんの無呼吸症は、鼻と口から入った空気が気管へ届く前に止まってしまい、息が止まってしまうケースです（これを閉塞型睡眠時無呼吸症候群といいます）。

人は、夢を見ているあいだ、筋肉が完全に弛緩することがわかっています。そして人によっては、そのときに舌がのどの奥に滑り込み、空気が気管に届く前に気道がふさがれてしまうのです。

大半の子どもは、舌が弛緩していても、充分な空気が気管まで届いています。でも、ユリアちゃんの場合は、アデノイドで扁桃腺が肥大しており、舌が奥に入ってしまうと空気が充分に流れなくなることがわかりました。そのため、何度も半分目を覚まして、舌を緊張させる必要がありました。目が覚めて舌が緊張すれば、充分な空気が肺まで届くようなスペースが空くのです。

つまりユリアちゃんは、一晩中、充分な空気を肺に入れるために闘っていて、そのために眠れないでいるという状態にありました。日中の機嫌が悪くいつも眠そうにしていて、泣きやすいのも当然でしょう。

以下のような症状に気づいたら、閉塞型睡眠時無呼吸症候群を疑って検査を受けましょう。おもな特徴は、次のようなものです。
・子どもが日中、非常に眠たがり、またしょっちゅう不安定な行動をとる（かんしゃくを起こしやすい、異常にはしゃぐ、性格が変わる、学校の成績が悪くなるなど）
・風邪を引いているわけでもないのに、大きな音をたてていびきをかく。このとき、息をすると胸部が激しく上下に動くのは、肺に届く酸素が足りないため半分目を覚ましては深呼吸をして、足りない分を補給しているため
子どもの閉塞型睡眠時無呼吸症候群の原因は、主として咽頭扁桃腺肥大症、あるいは肥満、あごの形成異常などにあります。子どもが夜中にきちんと呼吸をしていないような気がしたら、小児科か耳鼻科に連れていきましょう。多くの場合は扁桃腺やアデノイドをとれば治ります。

痛がっているとき

どこかが痛ければ赤ちゃんが安眠できないのは当然で、いつもどおりに寝かしつけてみても、なかなか寝ないでしょう。

たいていの親は、子どもがどこか痛くて泣いているときと、怒ったりわがままをいったりして泣いているときの声を区別することができます。

小児科では、夜中に赤ちゃんがどこか痛そうにして泣いていたという話を聞けば、まず耳の中をのぞきます。急性の痛みは、中耳炎が原因となっていることが多いからです。滲出性中耳炎では、横になっているときに強い痛みが出るということもあります。また何かの病気で熱が出た場合には、頭痛がしたり関節が痛むこともあるでしょう。乳児でもおとなのように、熱は関節の痛みと頭痛をともなうことがあります。

ふだんとは違って激しく泣く赤ちゃんを診断する場合は、おなかや足のつけ根のリンパ腺の触診もします。痛みの原因が腹部にあるかどうかを確認するためです。赤ちゃんが痛がって泣いている場合は、ほかにもいろいろな原因が考えられますが、親にくわしく話を聞いて、赤ちゃんをよく診察すれば、原因を突き止められるか、少なくとも危険な原因が存在しないことを確認することができます。

夜中に小児科へ連れていくにはちょっとためらわれるような軽い症状で、どこかが痛くて眠れないようであれば、ひとまず解熱鎮痛剤の坐薬を与えてみて、翌朝まで待っても大丈夫でしょう。

障害のある子どもについて

妊娠三十五週で生まれた双子のダニエルくんとモーリッツくんは、生まれた直後にひどい呼吸困難に陥り、生死の境をさまよいながら四週間を集中治療室で過ごしました。

退院したとき、ふたりは発育に著しい後れがありました。そして五歳のとき、ふたりは自閉症の要素もある著しい行動異常をともなう発育異常があると診断されました。

シングルマザーの母親は、子どもを生んだときから一晩通して眠ることができないと訴えていました。

ですが、子どもたちが五歳になったとき、事態はエスカレートしてしまいました。

ふたりが眠りにつくのは夜の九時と十時のあいだですが、真夜中前後になると必ずどちらかひとりが目を覚まし、ベッドから起きだして、おもちゃを窓ガラスにガンガンと打ちつけて兄弟を起こすのです。そして、その後一時間くらいのあいだ、ふたりで窓ガラスをたたきます。しばらくしてまた一時間ほど眠りますが、午前の三時ごろには再び起きだして、のどが渇いたとお茶を欲しがって泣きます。それからは目が冴えて、朝の五時半ごろまでふたりで遊んでいます。

窓ガラスをたたくときは、母親だけでなく、七階建てのマンションの近所じゅうが目を覚ましてしまいます。郵便受けに近所の人からの悪質ないやがらせの手紙などが投げ込まれるようになりました。何らかの行動を起こさなくてはならない状況です。わたしたちのもとに相談にきた母親は、睡眠不足と精神的なストレスで、日中の仕事にも支障をきたすようになっていました。

わたしたちもはじめは悩みました。障害があり、自閉症の要素もあるような子どもに、わたしたちの睡眠トレーニングを適用することは可能かどうか。でも、この一家の生活環境を改善するため、とにかくやってみようということになりました。

時間はかかりましたが、この子どもたちも事前に決めた計画表に従ってトレーニングをすることで、それまでよりも長い時間、夜も通して眠れるようになりました。夜中にお茶を飲むのをやめ、日中の睡眠の一部を夜にまわし、夜中にベッドから起きだして遊ばないというルールもおぼえられました。

はじめのうちはどんなに夜中にベッドにとどめようとしても起きだしてくるので、相談を受けたほうのわたしたちはあきらめかけていました。でもお母さんがしっかりとしていたおかげで、数週間後には、子どもが夜中に眠ることをおぼえたという報告を受けることができました。

精神障害のある子どもでも学習はできます。もちろん、規則のすべてを理解し納得したうえで行動するのは難しいかもしれませんが、ルールがはっきりと決められていて、まわりさえしっかりしていれば、習慣として社会生活に適合した睡眠パターンを身につけることができます。睡眠障害が不治の健康障害の一部である場合には、トレーニングをしても健康な子どものような完璧な結果は望めないでしょう。また、周囲はとくに忍耐強く、深い理解をもって子どもたちに接するべきでしょう。ケースによっては、くすりを用いなくてはならないこともあるかもしれません。

でも重度の障害があっても、子どもの発育に合わせてきちんとした計画表をつくり、夕方と夜の規則的な行動を決め、しばらくのあいだ練習すれば、絶対に生活習慣の改善が見られるというのがわれわれの見解です。

睡眠薬は使ってもいいの？

睡眠障害のある子どもに睡眠薬や精神安定剤を使うのはよいことでしょうか。ドイツの公式医療統計によると、一九九〇年度には十二歳以下の子どもの七〜一〇％が少なくとも一回、精神安定剤や睡眠薬のいずれかを処方されています。

気になるのは、ゼロ歳児に対して、ドイツでは精神安定剤が処方されていることが多いことです。一九八九年には一〇〇人のうちの二〇人の乳児に対して精神安定剤が処方されていました。

もちろん、小児科医の経験では、精神安定剤を処方されても、親が実際に長期にわたって子どもにくすりを飲ませることはあまりないようです。処方されたくすりを数日したら飲ませなくなることが多いからです。

実はわたしたちも、トレーニング計画に従って子どもの睡眠障害を治療するようになる前は、子どもの夜泣きがひどくて家族が限界状態に陥っているような場合には、例外的にその子に精神安定剤や睡眠薬を処方することがありました。くすりを処方すると、子どもは確かに眠りにつきやすくなります。でもこれでは、就寝のときに親の助けを必要とするだっこ、おしゃぶりなどのクセが直りません。くすりがなければ、子どもはまた眠らなくなるのです。

このようなわたしたちの観察を裏づける調査もあります。くすりで眠れるようにしてみても、就寝時の習慣を変えなければ、くすりをやめた途端にまたもとどおりになってしまうのです。

わたしたちのトレーニング計画は、とても高い成功率を示しています。ですから、最近ではわたしたちは健康な子どもに対してはいっさいくすりは処方しないことにしています。くすりには、副作用以外にもっと望ましくない問題を引き起こしてしまう可能性があります。子どもによっては眠くなるどころか、かえって興奮してしまうのです。これは医学的には「矛盾反応」といわれる現象です。

以上のようなすべてのことを考慮して、わたしたちは健康な子どもの睡眠障害を治療する場合には医薬品はいっさい必要ないという結論に達しました。くすりは、長期的な効果も期待できません。

トレーニングを始める前には、くすりを飲ませるのは必ずやめましょう。

まとめ

●頭を打ちつけたり、揺らしたりする

頭を打ちつけたり、揺らしたりするのは、変わった行動ですが、病的な行動ではありません。このようなクセが自然に直るまで、親は忍耐しなくてはなりません。

●日中は疲れ、夜中にいびきをかく

子どもが日中非常に疲れた様子を示し、夜間にいびきをかき、しかもそのいびきの合間にしばらく息を止めてしまう場合には、睡眠時無呼吸症候群の可能性があります。大半の子どもは、扁桃腺やアデノイドを切除すれば治ります。

●痛み

痛みがあると、一晩通して眠れないことがあります。まず原因を見つける努力をしましょう。歯が生えてくるから眠らないといったような俗説もありますが、たいていの場合あまりあてはまりません。

●精神障害のある子ども

精神障害のある子どもには、睡眠障害がよく見られます。ですが、睡眠障害が精神障害に起因するものでない場合には、ここで説明した睡眠トレーニングをそれぞれのケースに合わせて、工夫を加えて実践してみることをおすすめします。

●くすり

健康な子どもの睡眠障害に、くすりを用いるのはまちがっています。

第7章

子どもの「眠り」についてのQ＆A

この章のポイント

●最もよく尋ねられることと、その疑問に対する回答

トレーニングをするには小さすぎるのでは？

質問 娘は月齢三カ月です。毎晩四回はおっぱいを欲しがります。今から一晩通して眠ることを教えることはできるのでしょうか。

答え たぶん無理でしょう。生まれて三カ月では、たいていの子どもの睡眠リズムは未熟で、昼夜の区別もついていません。この月齢の赤ちゃんは、たいていの場合、夜中にもおっぱいを必要とします。ですから、一晩通して眠ることを期待しても無理です。ですが、今から日中の昼寝の時間と、就寝時間を規則的にすることはできます。

質問 わたしの娘は月齢三カ月で、いつもおっぱいを飲みながら眠ってしまいます。目を覚ましているうちにベッドに寝かせると、いつもすぐに泣きはじめます。ひとりで寝入ることを教えるにはどうしたらよいのでしょう。トレーニングを始めるにはまだ小さすぎると思うのですが。

答え そのとおりです。これくらいの小さな赤ちゃんの場合は、計画表どおりのトレーニングをしても無理です。もちろん、これからもおっぱいを飲みながら眠ってしまうことはあるでしょう。でも、少しずつ、やさしく練習を始めてみることはできます。最初は抵抗をするようであっても、赤ちゃんをときどき目が覚めているうちにベッドに寝かせてみてください。そして、ちょっと時間をおいたらベッドのそばへ行き、なぐさめてあげるのです。あなたがそばにいるだけでは足りないようだったら、少しのあいだだけ抱き上げて、安心させてあげてもいいでしょう。でも、眠ってしまう前にまたベッドに戻すことを忘れずに。こうすれば、あなたが助けてあげなくても、ベッドで眠りにつくことをおぼえるのです。

病気にかかった後ははじめからやり直しになるか

質問 月齢十八カ月の子どもですが、計画表どおりにトレーニングをしました。毎夜ミルクを何本も飲んでいたのですが、数日以内に一晩通して眠れるようになりました。そして二カ月間はまったく問題なく夜を通して眠れるようになったのですが、最近病気になり、以来夜中に哺乳びん二本のミルクを飲むようになってしまいました。またはじめからやり直さなければならないのでしょうか。

答え どんな子どもでも、病気やちょっとした旅行などがきっかけになり、もとどおりになってしまうことがあります。一回例外をつくっただけで、子どもがそれを習慣にしたがることはいくらでもあります。病気が治っても、あるいは旅行から帰っても、このような習慣をやめたくないと思うことはよくあります。このような場合には、再度計画表どおりに行動してみてください。たいていの場合は最初よりも効果が早くあらわれます。子どもは以前の親の決意を忘れてはいないはずです。病気やそのほかの特別な事態は、いつでも発生する可能性があるものです。ですから、何度もトレーニング計画表を利用することが考えられます。

うちの子は泣きやまない

質問 月齢九カ月の子どもは、わたしがだっこをしていないと眠りません。たぶん、わたしが何度そばに行っても、抱き上げるまでは泣きやまないと思います。わたしが抱き上げないと、わたしの姿を見るたびに、もっと大きな声を出して興奮するだけだと思います。子どものそばには行かず、ひとりでに泣きやむまで放っておいたほうが効果的なのではないでしょうか。

答え もちろん、「泣いてもまったく反応しない」というやり方であなたが成功する可能性はあります。何日かすれば、子どもはあきらめてあなたのことを呼ばなくなるでしょう。でもわたしたちは、単に「泣きやむ」ことを目的にはしたくありません。子どもの気持ちにも配慮したいと思います。何時間も放置されたら、こわくなるかもしれません。あなたに見捨てられたのではないかとか、嫌われたのではないかという不安や恐怖を感じてはいけないと思います。短い間隔であなたがそばへ行き、「お母さんはここにいるから大丈夫」ということを示してあげれば、そのような危険はありません。大きな声で騒げば、あなたがそばにいる時間は短くしてよいでしょう。でも、面倒くさがってまったく子どものそばへ行かなくなるのはよくないと思います。

食の細い子には夜中にミルクをあげる必要があるのでは?

質問 もうすぐ二歳になる子どもですが、体重は一三キログラムしかありません。とても食の細い子です。ですからわたしたちは夜中に子どもが哺乳びん二本のミルクを飲んでくれることを喜んでいます。残念なことに、そのために夜中に何度も起こされます。だからといって夜中のミルクをやめさせてもいいものでしょうか。そうなると、もっと食べる量が減るのではないでしょうか。

答え 食が細いからといって、寝ぼけた状態で夜中にミルクを飲ませる必要はまったくありません。あなたのお子さんは、夜中に半リットルものミルクを飲んでいるうちは、日中食べる量を増やす理由などまったくないのです。つまり、夜中におなかを空かせるクセがついているだけです。まず親のあなたが第一歩を踏み出し、日中の食事とミルクは規則正しい時間に与えるようにしてください。そうすれば、夜中のミルクをやめても、数日以内にお子さんは必要な栄養を日中とるようになるでしょう。

二週間トレーニングをしてもうまくいかない

質問 子どもは月齢二十五カ月です。わたしの考えでは、まだ昼寝が必要だと思います。二週間前から毎日昼間に一時間だけベッドに寝かせることにしました。最近ではその間に泣くことはなくなりましたが、眠りもしません。これ以上トレーニングを続ける必要があるでしょうか。

答え 二週間、徹底的にトレーニングをしたのに、子どもに何の変化も見られない場合は、本当に昼寝はもういらないのだと思っても大丈夫でしょう。これ以上、無理に昼寝をさせる必要はまったくありません。

ですが、昼間に一回「休憩」を入れるようにしてよかったと報告する親もたくさんいます。昼寝の時間をつくることにより、子どもは日中一回、自分のベッドか子ども部屋でしばらくひとりで遊ぶ習慣を身につけるのです。あなたのお子さんの場合も、そういうやり方が考えられます。

親の気づかないうちに親のベッドで寝ている

質問 四歳の娘はほとんど毎晩、夜中にわたしたちが眠っているあいだに親のベッドに潜りこみます。わたしたちとしては本当はやめさせたいのですが、気づかないことが多くて困っています。どうしたらよいのでしょう。

答え 「本当はやめさせたい」程度なら、今のままでもいいのではないでしょうか。お子さんが本当に自分のベッドから出てこないようにするには、親の側がある程度深刻に悩み、現状を苦にし、「やめさせたい」という真剣な決意がなくてはならないものです。そうでなければ、中途半端に終わってしまうだけです。気づかないことが多いのであれば、毎回子どもに厳格な対応をすることもできませんから、結局無理でしょう。

このトレーニング計画は、どんな子にも適しているか

質問 このトレーニング計画はどんな子にも適用できるのでしょうか。

答え いいえ! いくつかの前提がそろっている必要があります。

まず、子どもは月齢六カ月を超えていて、健康でなくてはなりません。それから、親はある程度真剣に悩み、現状を苦にし、何かを変えなくてはならないと確信していなくてはなりません。

そしてとくに重要なことは、親子の信頼関係も健全でなくてはならないという点です。ときどき、親であること自体に過剰な負担を感じている人もあります。そのため、自分の子どもを

受け入れられない人がいます。ですが、赤ちゃんは受け入れられていないこと、遠ざけられていることにはすぐに気づくものです。こんな家庭では、赤ちゃんが泣くのは親の愛情や注意を引こうとしてのことだということも考えられます。こういう家庭にわたしたちのトレーニングをそのままおすすめすることはできません。そういう場合は、赤ちゃんを特訓する前に、まず親が子どもを受け入れられるように変わることが先決です。

心理的な負担がこわい

質問 子どもは生まれて十カ月です。これまで泣けば、すぐになぐさめることにしていました。ですが最近、いちじるしく疲労を感じるので、夜をなんとかしなくてはと悩んでいます。トレーニング計画を実行しても、本当に子どもの心に害はないのでしょうか。

答え まず考えていただきたいと思います。夜眠れないことによって、あなたは日に日に疲労がひどくなってきています。このことによるストレスは、いずれ子どもを負担として感じることになるでしょう。

これまで相談を受けた親子の大半は、とても密接な信頼関係にありました。お子さんは、あなたに守られている、あなたに愛されていると安心していますか？　トレーニングを成功させるには、親子の関係が親密で、信頼と愛に満ちていることが重要なのです。このようなしっかりとしたきずながあれば、親も子どもも多少のストレスを体験したからといって、関係が悪くなることはありません。新しい習慣を身につけることは、親子にとりひとまずは大変なことでしょう。だからといって、安定した親子関係が崩れることはないのです。習慣を変える練習をしているあいだも、あなたは子どものそばにいるわけですから、子どもはあなたに見捨てられたと不安になることはないのです。そしてなによりも、子どもの睡眠パターンが改善されれば、あなたも子どもも、もっと元気になれるのです。

〈著者略歴〉
アネッテ・カスト・ツァーン（Annette Kast-Zahn）
1956年生まれ。心理学士。問題行動をとる子どもたちの施設で治療士として働く。1991年に独立、親子問題解決を専門とする心理治療室を開設。1995年以降、本書を含む3冊の本をシリーズで出版。3人の子どもを育てるワーキングマザーとしての視点が読者に親しまれ、いずれもドイツでは小児科医もすすめるベストセラーとなっている。

ハルトムート・モルゲンロート（Hartmut Morgenroth）
1940年生まれ。医学博士。ドイツとアイルランドで医学を学んだ後、米国で小児科医に。卒業後、インドとタンザニアの診療所で小児科医として働いた。ドイツ帰国後数年間デュッセルドルフの病院の小児科部長を務め、1982年に独立して開業。カスト・ツァーン家かかりつけの小児科医。

〈訳者略歴〉
古川まり（ふるかわ・まり）
1962年東京生まれ。ドイツ、マインツ大学でドイツ史、ドイツ文学、美術史を専攻後、銀行勤務。2児出産後、現在は経済・金融関係の文書を中心に、翻訳の仕事をしつつ育児に専念。育児関係の訳書には、アネッテ・カスト・ツァーン、ハルトムート・モルゲンロート共著『どうして食べてくれないの？』（PHP研究所）、ヴィヴィアン・ワイガート著『おっぱいから赤ちゃんの宇宙は始まる』（大和書房）、アネッテ・カスト・ツァーン著『愛情の次にたいせつな子育てのルール』（主婦の友社）がある。

赤ちゃんがすやすやネンネする魔法の習慣
ママも子どもも安眠できる！

2003年11月25日　第1版第1刷発行
2006年 8月21日　第1版第8刷発行

著　者　アネッテ・カスト・ツァーン
　　　　ハルトムート・モルゲンロート
訳　者　古川まり
発行者　江口克彦
発行所　PHP研究所
東京本部　〒102-8331　千代田区三番町3番地10
　文芸出版部　☎03-3239-6256
　普及一部　☎03-3239-6233
京都本部　〒601-8411　京都市南区西九条北ノ内町11
PHP INTERFACE　http://www.php.co.jp/
印刷所
製本所　図書印刷株式会社

ISBN4-569-63219-X